Marcel LACARRA

LES TEMPS DES VERBES

Lesquels utiliser ? Comment les écrire ?

DEUXIÈME ÉDITION

DUCULOT

(*Imprimé en Belgique sur les presses Duculot.*)

D. 1984, 0035.41

Dépôt légal : août 1984

ISBN 2-8011-0526-0

(ISBN 2-8011-0249-0, 1re édition)

AVANT-PROPOS

De l'apprentissage du code au choix d'un itinéraire

Pour conduire, vous devez connaître le code de la route ; vous aimez d'autre part, si vous entreprenez un voyage, disposer d'une carte routière. Ce livre voudrait être l'équivalent de l'un et de l'autre. Il s'efforce de formuler le **code de l'emploi des temps dans le français contemporain**. Quand vous alignerez une phrase après l'autre (j'allais dire : un kilomètre après l'autre...) pour rédiger une lettre ou polir un rapport, il vous suggèrera un certain nombre d'« itinéraires ».

Le code de la route, précis, n'a pourtant pas pu tout prévoir : une marge est laissée à l'interprétation. De plus, certaines de ses règles ont changé depuis l'origine.

Il en va de même pour la grammaire de l'emploi des temps — quoique en plus souple, des vies n'étant pas en jeu. Vous ne pouvez pas vous dérober à certaines obligations : *nous savions qu'il viendrait* ou *nous voulons qu'il vienne* face à : *nous savons qu'il viendra.* Par contre le passage à : *nous voulions qu'il vînt*, exigé autrefois, ne l'est plus aujourd'hui, et vous écrirez simplement : *nous voulions qu'il vienne. Qu'il vînt*, *qu'il arrivât*, imparfaits du subjonctif, s'ils sont utiles à connaître pour vous aider à bien comprendre des textes rédigés par d'autres, ne figureront qu'exceptionnellement dans ceux que vous écrirez, vous. Ils tendent à disparaître de la pratique courante du français, même écrit, comme les passés simples leurs cousins. Vous n'écrirez plus, comme peut-être à l'époque de vos « rédactions » scolaires : *le directeur de notre filiale anglaise arriva à Paris le 27 juin*, mais : *est arrivé.* Souvent un choix s'offrira en fonction de l'idée à exprimer : *il nous a annoncé qu'il partirait le soir même* ou : *qu'il partira ce soir. Qu'il partirait* reste cependant possible dans les deux cas, et même un nouveau-venu : *qu'il part* peut intervenir dans le deuxième : *il nous a annoncé qu'il part ce soir.*

« Hé là, commencez-vous peut-être à penser, les difficultés ne tiennent pas tant à ce que le code exige, mais plutôt aux libertés qu'il laisse... » Vous pensez juste. Et d'autant plus qu'après le code, assorti déjà d'une certaine souplesse, vient la carte routière, gage de votre indépendance. Vous choisirez l'autoroute et sa vitesse ou une départementale avec ses nonchalances champêtres. Vous déciderez de faire étape dans telle ville, ou de la traverser simplement, ou de la contourner. Etc.

Il en va de même pour la succession concrète de vos phrases et de leurs temps. Vous choisirez de raconter au passé composé ou au présent : *brusquement, le 15 avril, il est revenu sur son engagement* ou : *il revient.* D'écrire en proposition autonome ou en proposition liée : *X nous a présenté ses nouveaux tarifs* : *ils étaient inacceptables.* Ou : *ses nouveaux tarifs, qui étaient inacceptables.* (Et pourquoi pas : *ses nouveaux tarifs, franchement inacceptables* ?) De débroussailler votre phrase par le recours aux modes impersonnels, participe et infinitif : *à peine arrivé...* au lieu de : *dès qu'il est arrivé...* Ou : *nous estimons trop nos clients pour nous permettre...* au lieu de : *pour que nous nous permettions.* Etc.

Comment se présente ce livre

Composé de trois parties, il établit dans les deux premières les fondements de la troisième, qui peut alors approfondir, nuancer et vous guider comme par la main pour la rédaction de vos textes.

La première partie rappelle les principaux éléments du code de l'emploi des temps. Nous l'appelons « La Règle du jeu ». On y voit comment s'organise la cohérence des temps à partir du choix spontané que vous avez fait de parler soit au présent, soit au passé.

La deuxième partie, « Le Terrain de jeu », passe en revue, dans une perspective essentiellement pratique, un certain nombre de difficultés de conjugaison et d'orthographe. Il s'agit de vérifier que vous saurez écrire correctement ces temps que vous avez repérés dans la première partie et dont le maniement correct vous sera présenté dans la troisième.

Celle-ci enfin, intitulée « Tactiques de jeu », montre les temps « en pleine action » dans les phrases que vous écrivez. Chacun tire son sens particulier du choix même que vous avez fait de lui, par opposition à tel autre que vous auriez pu choisir aussi mais auquel vous l'avez préféré. Il dépend par ailleurs des temps qui le précèdent ou le suivent dans la même phrase ou dans celles qui l'entourent. Vous verrez qu'une situation est particulièrement mise en valeur : celle du récit au passé. C'est d'une part qu'elle offre l'éventail de choix le plus large en ce qui concerne l'emploi des temps. C'est aussi qu'elle nous a paru répondre davantage à vos besoins. En effet, que vous écriviez une lettre sur votre voyage au Danemark, un rapport sur le dernier conseil d'administration, un article sur la situation en Chine ou sur le récent France-Irlande de rugby, vous ne cessez pas de « raconter du passé ». Cette troisième partie vous aidera à y exceller.

Aborder cette étude avec confiance

En effet le « pays » à parcourir vous est déjà largement familier, le « jeu » auquel on vous invite est celui-là même que vous pratiquez tous les jours — en parlant.

Depuis une trentaine d'années surtout, le français écrit est venu à la rencontre du français parlé. On l'a vu plus haut à propos du passé simple ou de tel temps du subjonctif. Votre compétence de « parleur » constitue doncun appui d'une solidité certaine pour vos tentatives de « scripteur ».

Et même si cette compétence se révèle moins assurée, si vous êtes par exemple un étudiant non francophone, désireux de vous perfectionner dans ce secteur passionnant de la langue française qu'est le système de ses temps, dites-vous bien qu'un petit nombre de règles simples suffit à vous en fournir la clé.

C'est ainsi que les propositions « liées », dont nous aurons à dresser le tableau, comportent, à 90 % sans doute, *les mêmes temps que les propositions autonomes*. Bien assimiler les 4 premiers chapitres où est expliqué leur fonctionnement, ce sera donc déjà connaître presque tout. Si vous savez écrire : *le rendement a fléchi ces derniers mois* (autonome), vous sauvez évoquer sans peine tel centre de recherches *dont le rendement a fléchi ces derniers mois* (relative), constater *que le rendement a fléchi* (complétive en « que »), vous demander *pourquoi le rendement a fléchi* (interrogative) ou vous indigner qu'il faille tout reprendre *parce que le rendement a fléchi* (circonstancielle de cause).

Quand il n'en va pas ainsi et qu'intervient par exemple une obligation d'emploi du subjonctif (dans ce que nous appellerons les « liées spéciales » précisément pour évoquer cette difficulté), il se trouve que, dans une proportion très élevée encore, la différence est gommée dans les formes. Comparer : *nous constatons que les tensions se dissipent* et *nous souhaitons que les tensions se dissipent* ; le premier « se dissipent » est à l'indicatif et le second au subjonctif, mais qui s'en préoccupe ? Pour les verbes, enfin, où il faut s'en préoccuper parce que la différence se fait sentir, sachez que ce sont les plus courants, en petit nombre comme dans toutes les langues : *vous pensez qu'il va au plus pressé* face à : *vous exigez qu'il aille...* Mais qui peut hésiter sur les formes d'un verbe comme « aller » ?

Ainsi cette « leçon de conduite » pourra-t-elle se permettre, devant tout problème nouveau qui surgirait en cours de route, de le « démultiplier » presque à l'infini. Et comme nous irons toujours du plus simple (qui est aussi le plus fréquent) au plus compliqué (qui est heureusement le plus rare), vous aurez l'impression, non d'étudier la grammaire des temps mais, pas à pas, de la construire ensemble.

PREMIÈRE PARTIE

LA RÈGLE DU JEU

CHAPITRE PREMIER

UN PROJECTEUR SUIT UNE FIGURE...

1. Le point de départ sera d'imaginer qu'un projecteur suit une figure se déplaçant sur la ligne du temps. Trois cases peuvent ainsi être définies : l'une, étroite, est celle où la figure évolue « sous le projecteur » ; les deux autres, bien plus étendues et en droit sans limites (le temps n'est-il pas infini ?) s'allongent de part et d'autre, respectivement « en arrière » de la case éclairée et « en avant » d'elle.

> Ex. Il nous a insultés longtemps ; *c'est à nous maintenant de répondre* ; nous le ferons sans ménagement. (Est soulignée la case centrale, celle qui se trouve « sous le projecteur ».)

Mais de plus, il y a deux façons d'éclairer la case centrale. L'exemple ci-dessus lui donnait « couleur de présent » : *c'est* à nous, *maintenant*... Or celui qui parle ou écrit peut choisir de braquer son projecteur sur n'importe quel point du passé : l'époque de César ou celle des premières mini-jupes, le début de cette année, de ce mois ou de cette semaine. Nous dirons que le projecteur a alors « couleur de passé », mais c'est toujours par rapport à la case ainsi éclairée que se définiront, de part et d'autre, les cases « en arrière » et « en avant ».

> Ex. On l'avait insulté longtemps ; *c'était à lui ce jour-là de répondre* ; il se montrerait impitoyable et y mettrait tout le temps qu'il faudrait. (Soulignée encore la case centrale « sous le projecteur ».)

C'est donc un modèle à 6 cases que nous sommes désormais en mesure de construire, en fonction, d'une part, de ce qu'est la ligne du temps et le déplacement des figures (= des événements) le long de cette ligne, et, de l'autre, du choix de nos repères (= de la « couleur » du projecteur que nous avons choisi d'y braquer). La formule de construction de ces 6 cases est la suivante :

Projecteur « couleur de présent »

en arrière du projecteur	sous le projecteur	en avant du projecteur

Projecteur « couleur de passé »

en arrière du projecteur	sous le projecteur	en avant du projecteur

2. C'est ce modèle, ce sont ces cases qui nous serviront de guide tout au long du travail que nous entreprenons dans ce livre. Nous montrerons comment viennent s'y loger peu à peu tous les temps de la conjugaison française ; et d'abord, pour les chapitres II à VIII, ceux du domaine Indicatif-Conditionnel.

Ces temps, d'après les grammaires, sont au nombre de 10, divisés en 5 temps « simples » (un seul mot à la voix « active ») auxquels correspondent 5 temps « composés » (deux mots : une forme d'auxiliaire, *être* ou *avoir*, et un participe).

Ce sont : à l'Indicatif

— le *présent* : il aime et le *passé composé* : il a aimé
— l'*imparfait* : il aimait et le *plus-que-parfait* : il avait aimé
— le *passé simple* : il aima et le *passé antérieur* : il eut aimé
— le *futur* : il aimera et le *futur antérieur* : il aura aimé

et au Conditionnel

— le *présent* : il aimerait et le *passé* : il aurait aimé

3. Ce dernier temps, le « passé » du Conditionnel, est souvent appelé « passé 1re forme » et suivi d'un « passé 2e forme » : il eût aimé. Mais celui-ci, d'emploi très rare, et d'ailleurs identique au Plus-que-parfait du subjonctif (voir plus loin, IX), sera utilement négligé ici.

On aimerait aussi, comme le suggèrent certains grammairiens, rejeter l'idée d'un « mode » conditionnel et mêler ses formes à celles de l'Indicatif, dont les noms gagneraient du reste à être rationalisés. Les 10 temps évoqués, tous désormais de l'Indicatif, se présenteraient alors sous la forme suivante :

— Présent	et	Présent composé
— Imparfait	et	Imparfait composé
— Passé	et	Passé composé
— Futur	et	Futur composé
— Éventuel	et	Éventuel composé

Pour éviter des complications, nous conserverons cependant dans ce livre les noms traditionnels de ces temps.

CHAPITRE II

COULEUR DE PRÉSENT
(l'exposé au présent)

1. Pour les trois premières cases, le projecteur a « couleur de présent ». C'est-à-dire que le moment qu'il cerne, et qui se déplace à mesure que j'écris, coïncide réellement ou par fiction avec le moment présent, celui-là même où j'écris.

> Ex. Je *réponds* à votre lettre du 28 décembre (coïncidence réelle : je suis effectivement en train d'y répondre).
>
> Ex. Là-dessus mon cousin *arrive*, nous *fait* une scène épouvantable, puis *reste* trois longs jours avec nous sans desserrer les dents (coïncidence fictive : il est évident, par le texte même, que les événements datent de plusieurs jours)

2. Pour cette première série de trois cases, qui s'alignent dans la zone balayée par le projecteur « couleur de présent », la règle de construction est simple :

Sous le projecteur : Présent.
En arrière du point directement éclairé : Passé composé et Imparfait.
En avant de ce point : Futur.

> Ex. Le nouveau directeur *préside* (Présent) en ce moment son premier conseil d'administration. Il *est arrivé* (Passé composé) hier par le train de 17 h. Il *semblait* (Imparfait) heureux de pouvoir prendre enfin les choses en mains. Dès jeudi, il *donnera* (Futur) une conférence de presse.

CHAPITRE III

COULEUR DE PASSÉ 1
(le récit au passé composé)

1. Pour les trois cases suivantes, le projecteur a « couleur de passé ». C'est-à-dire que le moment qu'il cerne, et qui se déplace à mesure que j'écris, est un moment du passé choisi arbitrairement comme point de référence.

> Ex. Le 23 septembre 1976, à 5 heures du matin, la banlieue sud *a été réveillée* par des explosions assourdissantes.

2. Pour cette nouvelle série de trois cases qui s'alignent dans la zone balayée par le projecteur, la règle de construction est simple encore :

Sous le projecteur : Passé Composé ou Imparfait.
En arrière du point directement éclairé : Plus-que-parfait.
En avant de ce point : Présent *du Conditionnel.*

> Ex. (enchaînant sur le précédent). Ces explosions *se succédaient* (Imparfait) au rythme d'une par minute. Un appel téléphonique de menaces enregistré la veille *n'avait pas été pris* au sérieux (PQP), et de longues semaines *s'écouleraient* (Conditionnel) avant l'arrestation des coupables.

CHAPITRE IV

COULEUR DE PASSÉ 2
(le récit au passé simple)

1. Une variante ancienne ou « littéraire » de ce récit « à couleur de passé » ne s'en distingue que par un détail : sous le projecteur, à côté de l'Imparfait, c'est le *Passé Simple* qu'on trouve au lieu du Passé Composé.

> Ex. (On peut reprendre le récit précédent, dont seule changera la première phrase). Le 23 septembre 1976, à 5 heures du matin, toute la banlieue sud *fut réveillée* (Passé simple) par des explosions assourdissantes. Elle *se succédaient* etc.
>
> Ex. Bonaparte *revint* (Passé simple) d'Égypte le 9 octobre 1799. Il *avait réussi* (PQP) à échapper aux escadres anglaises lancées contre lui en Méditerranée. Une seule pensée l'*occupait* (Imparfait) : la conquête du pouvoir. Un mois encore, et il *renverserait* (Conditionnel) le Directoire.

2. On voit par l'exemple choisi que cette formule convient particulièrement au récit historique. C'est aussi celle de beaucoup de romans, et il n'est pas impossible que vous la trouviez dans votre journal (souvent en page sportive). Vous-même l'utiliserez peu, mais comme il faudra l'étudier, nous la distinguerons de l'autre en parlant de « couleur de passé 1 » pour les textes qui comportent un *passé composé* dans la case centrale, et de « couleur de passé 2 » pour ceux qui comportent un *passé simple*.

CHAPITRE V

FORMULES EN « DÈS QUE »

1. 7 temps sur les 10 possibles ont déjà défilé. Pour les 3 qui manquent, et au moins pour leurs emplois les plus courants, nous devons recourir d'avance à un type de proposition liée [1], la temporelle en « quand » ou en « dès que ». On trouvera pour la « couleur de présent » :

— en arrière du projecteur : DÈS QUE + Passé composé
— en avant du projecteur : DÈS QUE + *Futur antérieur*

> Ex. Dès que le soir est venu (Passé composé), la place commence à s'animer. / Dès que le soir *sera venu* (Futur antérieur), la place commencera à s'animer.

2. On trouvera pour la « couleur de passé 1 » :

— en arrière du projecteur : DÈS QUE + Passé composé
— en avant du projecteur : DÈS QUE + *Conditionnel passé*

> Ex. Les caissières se sont mises en grève dès que la direction du supermarché a décidé (Passé composé) de modifier les horaires de fin de semaine. / La consigne syndicale était ferme : les caissières se mettraient en grève dès que la direction du supermarché *aurait décidé* (Conditionnel passé) de modifier les horaires de fin de semaine.

1. Voir chapitre suivant.

3. On trouvera pour la « couleur de passé 2 » :

— en arrière du projecteur : DÈS QUE + *Passé antérieur*
— en avant du projecteur : DÈS QUE + Conditionnel Passé

> Ex. Dès qu'il *eut réussi* (Passé antérieur) à se démarquer, l'ailier droit Péchenot fonça vers les buts adverses. / Le plan de Péchenot était simple : dès qu'il aurait réussi (Conditionnel passé) à se démarquer, il foncerait vers les buts adverses.

4. Lié comme le Passé simple à la « couleur de passé 2 », le *Passé antérieur* sera aussi peu utilisé que lui dans notre pratique courante. Par ailleurs, en « couleur de passé 1 », « quand », « dès que » etc. peuvent introduire, au lieu du Passé composé indiqué plus haut, un *Passé surcomposé* à double auxiliaire :

> Ex. Dès qu'il *a eu constaté* (Passé surcomposé) des irrégularités dans le financement de la ZUP, le conseil municipal a ouvert une enquête.

« Dès qu'il a constaté » serait, bien sûr, correct. Mais le Passé surcomposé apporte une nuance supplémentaire de chose vraiment acquise, définitivement accomplie. Simultanément, en remplissant pour ainsi dire une case vide de la conjugaison, il permet de différencier avec netteté les phrases « couleur de présent » et « couleur de passé 1 » :

> Ex. Je me retire dès que j'ai fini. / Je me suis retiré *dès que j'ai eu fini.*

CHAPITRE VI

AUTONOMES ET LIÉES

1. Nous n'avons guère utilisé jusqu'ici que des propositions autonomes ; nous verrons maintenant que notre modèle à 6 cases fonctionne sans modification, c'est-à-dire avec les mêmes 10 temps du domaine Indicatif-Conditionnel, pour la plus grande partie des propositions liées.

2. Que signifie « autonome » (on dit aussi : indépendante, ou : principale) ? Que signifie « liée » (on dit aussi : subordonnée) ?

Une proposition autonome se suffit à elle-même, tient comme par son propre poids.

> Ex. toutes celles des chapitres précédents, le V excepté. Et aussi : *Il est parti le 16. Il reviendra en février. La bousculade a été indescriptible. Les avions ont pris un gros retard. Est-ce que les trois communes réussiront leur remembrement* ?

Une proposition liée doit s'appuyer sur (être liée à) une proposition autonome.

> Ex. celles du chapitre V en « dès que ». Et aussi : Nous savons *qu'il est parti le 16.* Il nous a assuré *qu'il reviendrait en février.* La bousculade a été indescriptible, *de sorte que les*

avions ont pris un gros retard. On ignore *si les trois communes réussiront leur remembrement.*

3. Un classement simple permet de mettre à part celles des propositions liées qui se comportent pour l'emploi des temps comme les propositions autonomes. Nous les appellerons « liées simples ». Les autres, qui veulent d'autres temps, seront nommées « liées spéciales ».

A) RELATIVES ET COMPLÉTIVES

liées simples	liées spéciales
1. relative du type : un ingénieur qui peut...	
	2. relative du type : un ingénieur qui puisse...
3. interrogative en : si, qui, où, pourquoi, etc.	
4. complétive en « que » du type : je pense que...	
	5. complétive en « que » du type : « je ne pense pas que... »
	6. complétive en « que » du type : « je souhaite que... », « je doute que », « je me réjouis que »

B) CIRCONSTANCIELLES

liées simples	liées spéciales
7. de temps, avec « quand », « lorsque », « dès que » etc.	
	8. de temps, avec « avant que », « jusqu'à ce que », etc.
9. de cause, avec « comme », « puisque », etc.	
	10. de cause, avec « non pas que »...
11. de conséquence, avec « de telle sorte que »...	
	12. de conséquence, avec « de façon que », « trop... pour que » « sans que » etc.
	13. de but, avec « afin que... »
	14. d'opposition, avec « bien que » « quoique », etc.
15. de comparaison, avec « comme », « aussi bien que »...	

C) ÉCHAPPENT PAR LEUR NATURE À CE CLASSEMENT

16. Les propositions à l'infinitif.
17. Les propositions au participe.
18. Les propositions conditionnelles : « si nous avions cédé, la firme n'existerait plus aujourd'hui », et un type de proposition d'opposition en « même si » : « même si nous avions cédé... »

CHAPITRE VII

LES LIÉES À L'INDICATIF/CONDITIONNEL

1. Les liées simples — c'est leur définition — utilisent les mêmes temps que les propositions autonomes. Il est aisé de montrer, comme nous l'avons fait partiellement dans l'avant-propos (p. 8) qu'une proposition autonome donnée restera identique à elle-même en devenant une liée simple de quelque type que ce soit.

Ainsi, imaginons la proposition autonome : « L'augmentation du prix des matières premières *est venue bouleverser les économies occidentales* », et faisons-en successivement, en suivant la liste du chapitre précédent :

— une relative (1) : 1973 a vu l'augmentation du prix des matières premières, *qui est venue bouleverser les économies occidentales.*

— une interrogative (3) : nous nous demanderons *dans quelles limites* l'augmentation du prix des matières premières *est venue bouleverser les économies occidentales.*

— une complétive en « que » (4) : il est aisé de constater *que* l'augmentation du prix des matières premières *est venue bouleverser les économies occidentales.*

— une circonstancielle de temps (7) : toutes les estimations du VIIe Plan ont dû être révisées *quand* l'augmentation du prix des matières premières *est venue bouleverser les économies occidentales.*

— une circonstancielle de cause (9) : *puisque* l'augmentation du prix des matières premières *est venue bouleverser les économies occidentales*, nous tenterons de donner dans nos échanges commerciaux une part plus grande aux pays de l'Est.

— une circonstancielle de comparaison (15) : *de même que* l'augmentation du prix des matières premières *est venue bouleverser les économies occidentales*, elle promet par raccroc, aux pays producteurs eux-mêmes, bien des convulsions sociales.

2. Autre forme de la même démonstration : les 6 cases du modèle décrit aux chapitres II, III et VI peuvent, tour à tour ou toutes ensemble, au lieu d'être remplies par une proposition autonome, l'être par une liée simple, sans aucun changement de temps. Ainsi, dans un passage « couleur de présent » :

Ex. Le Parti Unitaire de Progrès, qui *a*, au cours des dernières consultations, constamment *amélioré* ses résultats électoraux, *commence* cependant à admettre, depuis qu'une scission *s'est produite* au sein de son comité directeur, qu'il *enregistrera* un recul à l'occasion des prochaines cantonales.

(On trouve là presque tous les temps de base de la « couleur de présent » : Passé composé en relative — *qui a amélioré* ; Présent en autonome — *il commence* ; Passé composé en circonstancielle de temps — *depuis qu'une scission s'est produite* ; Futur en complétive — admettre *qu'il enregistrera.*)

3. Même chose en « couleur de passé 1 » :

Ex. L'entreprise *savait* dès novembre que les banques dont elle *dépendait avaient décidé* de lui mesurer leurs crédits ; elle *a appris* la veille de Noël que la tranche de 5 millions demandée pour un achat de machines-outils ne lui *serait pas accordée*, si bien qu'elle *s'est résolue* à déposer son bilan.

(On trouve là tous les temps de base de la « couleur de passé 1 » : Imparfait en autonome — *l'entreprise savait* ; Imparfait en relative — les banques *dont elle dépendait* ; Plus-que-parfait en complétive — elle savait *que les banques avaient décidé* ; Passé composé en autonome — *elle a appris* ; Conditionnel en complétive — elle a appris *que la tranche... ne lui serait pas accordée* ; Passé composé en circonstancielle de conséquence — *si bien qu'elle s'est résolue.*)

4. Même chose encore pour la « couleur de passé 2 » :

Ex. Quand il *eut découvert* qu'un système d'écoutes *avait été installé* dans les locaux de la légation, l'ambassadeur *adressa* au premier ministre une énergique protestation. Il y *soulignait* à quel point de telles mesures *pouvaient* compromettre la tâche esquissée d'un rapprochement entre les deux États. Il *précisa* au cours d'une visite officieuse, qu'il *se refuserait* pour sa part à poursuivre sa mission, tant que cette pratique *n'aurait pas été abandonnée.*

(On trouve là tous les temps de base du récit en « couleur de passé 2 » : Passé antérieur en circonstancielle de temps — *quand il eut découvert* ; Plus-que-parfait en complétive — découvert *qu'un système avait été installé* ; Passé simple en autonome — l'ambassadeur *adressa... il précisa* ; Imparfait en autonome — *il y soulignait* ; Imparfait en interrogative — il soulignait *à quel point de telles mesures pouvaient* ; Conditionnel présent en complétive — il précisa *qu'il se refuserait* ; Conditionnel passé en circonstancielle de temps — *tant que cette pratique n'aurait pas été abandonnée.*)

CHAPITRE VIII

LE DISCOURS INDIRECT

1. On a pu remarquer dans les exemples du chapitre précédent que deux types de liées simples interviennent particulièrement quand il s'agit de dire, de constater, d'apprécier, de se demander, etc., bref, quand il s'agit d'évoquer *ce que dit ou pense quelqu'un*. Ce sont les complétives en « que » et les interrogatives.

Ainsi dans : *constater que* ou *se demander dans quelles limites* l'augmentation des matières premières a bouleversé l'Occident. Dans : *admettre que* l'on enregistrera un recul ; dans : *savoir que* les banques avaient décidé ; dans *apprendre que* des crédits ne seraient pas accordés, *préciser que* l'ambassadeur se refuserait..., etc.

2. Ces deux types de liées simples sont en effet d'un emploi très fréquent quand on veut, en évoquant conseils et délibérations, discussions de projets et explications de votes, présenter le point de vue de l'un des participants ou résumer les propos qu'il a prononcés. Cela correspond à ce que les grammairiens appellent le « discours indirect ».

Le schéma en est, généralement, le suivant :

- phrase de présentation en autonome, avec le temps qui convient à la position « sous le projecteur »
- résumé des paroles prononcées en liée simple, avec les temps des positions « en arrière du projecteur », « sous le projecteur » ou « en avant de lui », selon qu'il s'agit de rappels du passé, de considérations actuelles ou de prévisions pour l'avenir.

3. Ainsi en « couleur de présent » :

> Ex. Le président d'Acier-Méditerranée *rappelle* alors comment l'idée d'une fusion entre les deux sociétés *s'est peu à peu imposée* aux esprits ; il *indique* qu'on *aborde* aujourd'hui la phase décisive de l'opération, et que seule la bonne volonté de tous les partenaires *garantira* son plein succès.

En « couleur de passé 1 » :

> Ex. Le représentant du syndicat des dockers *a pris* la parole dès l'ouverture de la séance. Il *a fait* observer que ces vingt jours de grève *avaient démontré* la résolution de la base, et *modifié* déjà dans une mesure appréciable l'attitude du patronat. Il *s'est demandé* enfin si une prolongation du mouvement *apparaissait* souhaitable, et si une négociation, menée à partir de cette position de force, ne *conduirait* pas à des résultats plus avantageux.

La « couleur de passé 2 » a peu de chance d'être utilisée dans une relation de ce genre. S'il le fallait absolument, on la déduirait sans peine de l'exemple précédent en remplaçant simplement les 3 Passés composés « a pris », « a fait » et « s'est demandé » par les Passés simples « le représentant *prit* la parole », « il *fit* observer » et « il *se demanda* enfin ». Le reste sans changement.

CHAPITRE IX

LES LIÉES AU SUBJONCTIF : COULEUR DE PRÉSENT

1. Dernière étape de cette étude : les temps des « liées spéciales » seront les 4 temps du Subjonctif, que les grammaires présentent comme suit :

— *Présent*	qu'il aime, qu'il sache.
— *Passé*	qu'il ait aimé, qu'il ait su.
— *Imparfait*	qu'il aimât, qu'il sût.
— *Plus-que-parfait*	qu'il eût aimé, qu'il eût su.

Les deux premiers sont seuls d'emploi courant. L'Imparfait et le Plus-que-parfait apparaîtront *quelquefois*, avec *certains verbes* et à la *troisième personne*, dans les « couleurs de passé 1 et 2 » (voir chapitre X).

2. En « couleur de présent » on trouvera :

— sous le projecteur : Subjonctif présent ;
— en arrière du point directement éclairé : Subjonctif passé ;
— en avant de ce point : Subjonctif présent, ou recours à un auxiliaire d'appoint comme « qu'il puisse », « qu'il doive », « qu'il en vienne à » etc.

3. Les exemples suivront la liste des « liées spéciales » telle qu'elle apparaît au chapitre VI.

(2) Relative du type : un ingénieur qui puisse...

Ex. Cette offre vise de préférence des candidats qui *soient sortis* (Subjonctif passé) dans un bon rang d'une École Supérieure d'électricité, qui *sachent* (Subj. présent) parfaitement l'anglais et qui *soient* (Subj. présent) prêts à envisager de fréquents séjours aux USA. (L'idée d'avenir est suggérée, dans cette dernière « liée », par la formule : être prêt à).

(5) Complétive du type : je ne pense pas que...

Ex. La direction n'estime pas que le conflit avec le syndicat du livre *ait atteint* (Subj. passé) un point de non-retour ni qu'il *faille* (Subj. présent) prévoir, dans un avenir proche, une intervention gouvernementale.

(6) Complétive du type : je souhaite que...

Ex. Nous souhaitons que notre concurrent *ait abouti* (Subj. passé) à des conclusions analogues et qu'il *réponde* (Subj. présent) favorablement à notre offre de négociation.

(8) Circonstancielle de temps avec « avant que » etc...

Ex. Tâchez de le voir avant qu'il ne *soit parti* (Subj. passé) et insistez jusqu'à ce qu'il *admette* (Subj. présent) l'absurdité de cette rupture.

(10) Circonstancielle de cause avec « non pas que » etc.

Ex. Nous faisons l'impossible pour garder Duperron ; non qu'il *ait donné* (Subj. passé) toute satisfaction jusqu'ici, ni qu'il *paraisse* (Subj. présent) disposé à un effort sérieux ; mais nous préférons, selon la formule consacrée, l'avoir dedans que dehors.

(12) Circonstancielle de conséquence avec « de façon que » etc.

Ex. Nous réorientons notre politique d'achats de façon que *s'accroisse* (Subj. présent) le volume de nos importations en provenance de la zone Franc et que notre déficit en devises *aille* (Subj. présent) se résorbant peu à peu.

(13) Circonstancielle de but avec « afin que », « pour que » etc.

Ex. Je préfère parler net pour qu'il *comprenne* (Subj. présent) mieux sa responsabilité.

(14) Circonstancielle d'opposition avec « bien que », etc.

Ex. Nous acceptons la convention proposée, bien qu'elle *s'assortisse* (Subj. présent) de clauses financières rigoureuses et que de ce fait elle *ait soulevé* (Subj. passé) une vraie tempête chez certains de nos actionnaires.

4. Si le Subjonctif *présent*, dans plusieurs de ces propositions liées, exprime une idée de *futur* (position « en avant du projecteur »), c'est pour deux raisons qui dépendent probablement l'une de l'autre:

— d'une part, il le faut bien, la conjugaison n'offrant pas de temps qui serait un « Subjonctif futur ». Les grammairiens disent que le Subjonctif, avec ses temps en nombre très faible si on les compare à ceux de l'Indicatif, est un mode qui « actualise » peu ou mal.
— d'autre part, l'idée même qu'elles suggèrent (un souhait, un but, une conséquence, pour ne parler que des cas les plus nets) tire fatalement notre esprit vers une perspective d'avenir, sans qu'il soit besoin de le préciser. Si la différence doit être marquée, on recourra à des auxiliaires d'appoint : « je ne crois qu'il doive faire... », « nous n'estimons pas qu'il en vienne à tenter... », à des adverbes du type « désormais », ou à d'autres locutions déjà signalés.

5. Il importe de remarquer comment, dans les exemples de ce chapitre, nous avons dû soigneusement choisir nos verbes pour faire bien apparaître qu'ils étaient au Subjonctif. Sans cela, à 80 % sans doute ou davantage (voir l'avant-propos, p. 8), aucune différence n'aurait été sensible entre le Subjonctif et l'Indicatif, donc entre le temps de ces « liées spéciales » et celui d'une « liée simple ». C'est une observation rassurante pour le cas où vous hésiteriez sur la forme d'un Subjonctif : un verbe de remplacement sera toujours facile à découvrir, surtout un verbe en -er. Ainsi :

— pour l'exemple (2) : nous voulons un candidat qui *parle* l'anglais (comme à l'Indicatif ; au lieu de : qui *sache*) ;

— pour l'exemple (6) : nous souhaitons que notre concurrent *accepte* notre offre (comme à l'Indicatif ; au lieu de : qu'il *réponde* favorablement à...) ;

— pour l'exemple (8) : insistez jusqu'à ce qu'il *renonce* à toute idée de rupture (comme à l'Indicatif ; au lieu de : jusqu'à ce qu'il *admette* l'absurdité d'une rupture) ;

— pour l'exemple (13) : je préfère parler net pour qu'il *mesure* sa responsabilité (comme à l'Indicatif ; au lieu de : pour qu'il *comprenne*).

Etc.

CHAPITRE X

LES LIÉES AU SUBJONCTIF : COULEUR DE PASSÉ

1. Dans la pratique la plus courante, les liées spéciales présenteront, en « couleur de passé 1 », les mêmes temps, Subjonctif présent et passé, qu'en « couleur de présent ». Les exemples du chapitre précédent doivent donc bien s'adapter à cette nouvelle situation. Ainsi :

> (2) L'offre visait des ingénieurs qui *soient* disposés à séjourner aux USA.
> (6) Nous souhaitions que ce concurrent *réponde* favorablement à notre offre.
> (14) Nous avons accepté la convention, bien qu'elle *ait soulevé* une vraie tempête.
> Etc.

2. Nous avons dit « dans la pratique la plus courante ». Quelquefois en effet, la « couleur de passé 1 » pourra emprunter les temps de la « couleur de passé 2 ». À quelles conditions, nous l'examinerons ci-dessous ; mais voyons d'abord de quels temps il s'agit :

— sous le projecteur : Subjonctif imparfait
— en arrière du point directement éclairé : Subjonctif plus-que-parfait
— en avant de ce point : Subjonctif imparfait, ou recours à un auxiliaire d'appoint comme « qu'il pût », « qu'il dût », « qu'il en vînt à », etc.

Dans l'exemple qui suit, les propositions autonomes portent les temps de base de la « couleur de passé 2 », passé simple et imparfait (il maintint, il estimait), et les liées spéciales sont, logiquement, au Subjonctif imparfait ou plus-que-parfait :

> Ex. Le ministre maintint son point de vue, non qu'il *eût approuvé* (Subj. plus-que-parfait) toutes les décisions du directeur du Budget, mais il estimait nécessaire que le public *pût* (Subj. imparfait) juger sur pièces avant que ne *fût prise* (Subj. imparfait) une sanction définitive.

Pour vous qui écrivez en « couleur de passé 1 », la charpente de cette phrase deviendra, à partir d'une autonome au passé composé (il a maintenu) :

> Ex. Le ministre a maintenu son point de vue, non qu'il *ait approuvé* (Subj. passé)... mais il estimait nécessaire que le public *puisse* (Subj. présent) juger... avant que ne *soit prise* (Subj. présent) une sanction...

3. Complication : il n'est pas pourtant impossible d'écrire, en « couleur de passé 1 » et à partir d'une autonome au passé composé (il a maintenu), une phrase très satisfaisante où les liées spéciales seront à l'imparfait et au plus-que-parfait du Subjonctif :

> Ex. Le ministre a maintenu son point de vue, non qu'il *eût approuvé* toutes les décisions du directeur du Budget, mais il estimait nécessaire que le public *pût* juger sur pièces avant que ne *fût prise* une sanction définitive.
>
> Ex. Les syndicats d'enseignants ont exprimé leur regret que la commission *n'eût pas préparé* un texte plus précis ; ils ont exigé d'autre part que le nombre d'élèves par classe *fût désormais limité* à 25.

4. Pourquoi ces hésitations ? Il s'agit incontestablement d'un problème très délicat dans l'usage actuel du français. C'est que la langue *est en train de passer* d'un système à l'autre ; du récit « couleur de passé 2 », où Subjonctif imparfait et plus-que-parfait étaient naturels, au récit « couleur de passé 1 », où ils s'aventurent encore, mais comme en s'excusant. Cela compris, quelles règles proposer pour votre pratique courante de la « couleur de passé 1 » ?

a) si vous y introduisez imparfait et plus-que-parfait du Subjonctif, que ce soit *seulement à la 3ᵉ personne*, et plutôt *du singulier*. Pas de « je », de « tu », de « nous » ni de « vous » ; pas de « il a exigé *que nous fixassions* une date » ; pas de « je souhaitais *que tu fusses* heureuse ». Et à la 3ᵉ personne, le pluriel « il insistait *pour que tous les détails fussent réglés* au plus vite » apparaîtra convenable, mais sera senti comme moins naturel que le singulier « il insistait *pour que tout fût réglé...* » ;

b) donc la 3ᵉ personne du singulier ; mais de plus, pas avec n'importe quel verbe. Choisissez les plus courants, aux formes les plus courtes (une ou deux syllabes). Quelques verbes en -er (type : aimer) iront bien : « qu'il entrât », « qu'il allât » « qu'il arrivât », « qu'il décidât », « qu'il passât » ; mais surtout une vingtaine de verbes dits : irréguliers, avec, pour commencer, les auxiliaires « avoir » (qu'il eût) et « être » (qu'il fût), puis :

croire (qu'il crût)	devoir (qu'il dût)
faire (qu'il fît)	falloir (qu'il fallût)
lire (qu'il lût)	mettre (qu'il mît)
paraître (qu'il parût)	pouvoir (qu'il pût)
prendre (qu'il prît)	savoir (qu'il sût)
tenir (qu'il tînt)	venir (qu'il vînt)
vouloir (qu'il voulût)	vivre (qu'il vécût) etc.

c) curieusement, comme le plus-que-parfait du Subjonctif est formé avec les auxiliaires être ou avoir, on pourra le trouver dans vos phrases avec n'importe quel verbe (je ne pensais pas *qu'il fût sorti... qu'il eût découvert...*) ; il en va de même pour les imparfaits dans la conjugaison passive, où intervient l'auxiliaire être (ils craignaient que l'affaire *n'eût été poussée* trop loin... nous avons exigé que le contrat *fût modifié*).

Dans ces limites, vous pourrez choisir entre :

Ex. Nous avons tout fait pour qu'il *prenne* le temps de réfléchir et qu'il *puisse*, dans l'intervalle, se sentir tout à fait à l'aise. / Ou : Nous avons tout fait pour qu'il *prît* le temps de réfléchir et qu'il *pût*, dans l'intervalle, se sentir tout à fait à l'aise.

Ex. Avant que le décret du 7 octobre *n'ait paralysé* le marché, nous avions heureusement adopté les mesures nécessaires pour que *soit préservée* du moins notre liberté de négociation. / Ou : Avant que le décret du 7 octobre *n'eût paralysé* le marché, nous avions heureusement adopté les mesures nécessaires pour que *fût préservée* du moins notre liberté de négociation.

CHAPITRE XI

POUR ÉVITER UN SUBJONCTIF

1. Pour échapper aux pièges que nous venons d'évoquer, la langue a heureusement prévu bien des chemins de traverse. Reprenons, d'après le chapitre VI, la liste des « liées spéciales » dont l'utilité apparaîtra une fois de plus.

(2), relative du type : un ingénieur qui puisse..., pourra d'abord, dans bien des cas, se réduire à (1), relative à l'Indicatif, du type : un ingénieur qui peut...

> Ex. C'est le meilleur insecticide qu'on *puisse* en ce moment trouver sur le marché. / Ou : qu'on *peut* en ce moment trouver...
>
> Ex. C'était le meilleur insecticide qu'on *pût* alors trouver sur le marché. / Ou : qu'on *pouvait* alors trouver...

Mais de plus, très souvent encore, on pourra remplacer la relative au Subjonctif par une relative au Conditionnel ou à l'Infinitif.

> Ex. Je cherche un collaborateur qui *soit* apte à diriger l'entreprise pendant mes fréquentes absences. / Ou : qui *serait* apte... Je cherchais un collaborateur qui *fût* apte à diriger l'entreprise... / Ou : qui *serait* apte...
>
> Ex. Il rêvait d'un local, vaste mais assez proche, où il *pût* installer son entrepôt. / Ou : Il rêvait d'un local vaste... où *installer* son entrepôt.

(5), complétive en « que » du type : je ne pense pas que..., pourra souvent, au prix d'une légère nuance, se réduire à (4), c'est-à-dire garder l'Indicatif.

Ex. Nous n'estimons pas qu'il *faille* déjà débloquer ces fonds. / Ou : nous n'estimons pas qu'il *faut*... Nous n'avons pas estimé qu'il *fallût* déjà débloquer ces fonds. / Ou : nous n'avons pas estimé qu'il *fallait*...

2. (6), (8), (12), (13), c'est-à-dire les complétives en « que » du type : je souhaite que, je me réjouis que, etc., et les circonstancielles en « avant que », « de façon que » et « afin que » remplacent avantageusement leur Subjonctif par un Infinitif *si leur sujet est le même que celui* de l'autonome dont elles dépendent.

Ex. Je souhaitais *qu'il pût se rendre* à Londres. / Mais : je souhaitais *pouvoir me rendre* à Londres. Nous regrettions *qu'il n'eût pas achevé son rapport.* / Mais : nous regrettions *de n'avoir pas achevé notre rapport.*
Nous avons réaménagé le hall, *de façon que notre clientèle y trouvât* un accueil plus chaleureux. / Mais : nous avons réaménagé le hall, *de façon à offrir* à notre clientèle un accueil plus chaleureux.

(14), liée d'opposition en « bien que », admet d'être remplacée par une autonome sous la forme « il avait beau... »

Ex. Il échouait toujours, *quoiqu'il travaillât* de son mieux. / Ou : *il avait beau travailler* de son mieux, il échouait toujours.

CHAPITRE XII

TABLEAU DES TEMPS FRANÇAIS

1. Nous voilà au bout de notre « Règle du jeu ». Nous avons vu comment se mettent en place dans nos phrases, tantôt en propositions autonomes, tantôt en liées simples ou spéciales, les temps de l'Indicatif, du Conditionnel et du Subjonctif. Ils sont au nombre de 14, et avant d'entreprendre, dans la IIe Partie, une brève étude de leurs formes, il ne sera pas inutile de dresser un tableau d'ensemble de ces 14 temps, pris dans leur articulation vivante.

Donnons-nous pour cela une phrase de type très courant, où interviendront chaque fois deux de nos temps, et examinons-en les 7 variations possibles (2 × 7 = 14).

2. Indicatif *présent* et *passé composé.*

Lola est une enfant sensible ; elle
SE DÉTEND dès qu'on lui A FAIT un compliment.

Indicatif *imparfait* et *plus-que-parfait.*

Lola était une enfant sensible ; elle
SE DÉTENDAIT dès qu'on lui AVAIT FAIT un compliment.

Indicatif *passé simple* et *passé antérieur.*

Lola, ce soir-là, se montra sensible ; elle
SE DÉTENDIT dès qu'on lui EUT FAIT un compliment.

Indicatif *futur* et *futur antérieur*.

Vous verrez comme Lola est sensible ; elle
SE DÉTENDRA dès qu'on lui AURA FAIT un compliment.

Conditionnel *présent* et *passé*.

Je rêve d'une enfant sensible ; elle
SE DÉTENDRAIT dès qu'on lui AURAIT FAIT un compliment.

Subjonctif *présent* et *passé*.

Lola est une enfant sensible ; il suffit, pour qu'elle
SE DÉTENDE, qu'on lui AIT FAIT un compliment.

Subjonctif *imparfait* et *plus-que-parfait*.

Lola était une enfant sensible ; il suffisait, pour qu'elle
SE DÉTENDÎT, qu'on lui EÛT FAIT un compliment.

3. On a vu au cours de ces pages comment le système ainsi posé, s'il n'a jamais fonctionné dans toute sa pureté, montre du moins depuis quelque temps des dégradations importantes : deux des 7 variantes sont moribondes, la dernière, avec les Subjonctifs imparfait et plus-que-parfait (dont on a noté pourtant au chapitre X quelques efforts limités pour survivre) et celle qui met en jeu passé simple et passé antérieur (nous l'avons appelée au chapitre IV la « couleur de passé 2 »).

Une dernière remarque à ce sujet. Si le passé simple tend à disparaître, c'est que la place qu'il occupait dans la partie *gauche* du tableau ci-dessus a été envahie peu à peu par un temps de la partie *droite*, le passé composé. Seulement celui-ci continue de fonctionner *aussi* comme un temps de la partie droite. Il est donc tantôt une sorte de « passé-présent », de « présent solidifié » (partie droite), tantôt un vrai passé (partie gauche, remplaçant du passé simple). C'est par là que s'expliquent plusieurs des choix possibles qu'ont signalés les chapitres précédents. En particulier, le temps d'une liée, simple ou spéciale, variera selon que l'autonome dont elle dépend est au passé composé du premier type ou du second. Ainsi, en liée simple :

Ex. Marie-Hélène nous a avertis *qu'elle partirait* le soir même (« elle nous a avertis » est un passé composé à valeur de vrai passé). / Marie-Hélène nous a avertis *qu'elle partira* ce soir (le passé composé a valeur de passé-présent, ce que les grammairiens appellent un « parfait »).

Et en liée spéciale :

Ex. Nous avons réaménagé le hall *pour que notre clientèle y trouvât* un accueil plus chaleureux (« nous avons réaménagé » a valeur de vrai passé). / Nous avons réaménagé le hall *pour que notre clientèle y trouve* un accueil... (valeur de passé-présent).

DEUXIÈME PARTIE

LE TERRAIN DE JEU
(Étude des formes verbales)

CHAPITRE XIII

AVOIR ET ÊTRE

1. Nous ne donnons pas ici un traité complet de la conjugaison française — 300 pages n'y suffiraient pas. Nous entreprenons seulement de débrouiller pour l'essentiel, et par grands secteurs, des séries de formes difficiles.

2. *Être* et *avoir* sont les verbes les plus fréquents, du fait, en partie, de leur statut d'auxiliaires. Mais leurs formes sont connues, et du reste se trouvent dans toutes les grammaires. Nous préviendrons seulement contre quelques confusions.

« Que j'AIE », Subjonctif présent de *avoir*, s'oppose d'une part à l'Indicatif présent « j'AI », de l'autre aux personnes suivantes du Subjonctif « que tu AIES », « qu'il AIT », « qu'ils AIENT ». Et toutes ces formes ensemble s'opposent à celles de l'Indicatif de *être* : « je suis », « tu ES », « il EST », dont le Subjonctif est très différent : « que je sois », « que tu sois », « qu'il soit », « qu'ils soient ».

> Ex. J'*ai* (avoir, Indicatif) une serviette de cuir, elle *est* (être, Indicatif) très belle.
>
> Ex. Nous savons qu'il *a* de la classe (avoir, Indicatif) et qu'il *est* (être, Indicatif) très compétent en organisation, mais nous regrettons qu'il *soit* (être, Subjonctif) d'un caractère frivole et qu'il *ait* (avoir, Subjonctif) tant de susceptibilité.

3. Ces différences se retrouvent naturellement aux temps composés où *être* et *avoir* interviennent comme auxiliaires.

> Ex. J'ignore s'il *est rentré* tôt (auxiliaire *être*, PC de l'Indicatif) et s'il *a dormi* suffisamment (auxiliaire *avoir*, PC de

l'Indicatif). / Je souhaite qu'il *soit rentré* tôt (auxiliaire *être*, Passé du Subjonctif) et qu'il *ait dormi* suffisamment (auxiliaire *avoir*, Passé du Subjonctif).

4. Les Impératifs sont respectivement SOIS et AIE.

Ex. *Aie* du courage, mais *sois* prudent

et en emploi d'auxiliaires :

Ex. *Aie fini* ton rapport avant 11 heures (Impératif passé de *finir*, auxiliaire *avoir*) et *sois revenu* pour la séance de l'après-midi (Impératif passé de *revenir*, auxiliaire *être*).

5. Comme ces deux verbes sont ceux qui risquent le plus d'intervenir en « couleur de passé 2 », avec le passé simple, le passé antérieur, et les Subjonctifs imparfait et plus-que-parfait, il faut signaler ici, à la troisième personne de ces temps, une différence importante : passé simple et passé antérieur n'ont pas l'**accent circonflexe**, les deux autres oui.

Ex. Il *fut* longtemps sur cette route de montagne, et il *eut* très froid (passés simples). / Il changea d'avis dès qu'il *fut sorti* et qu'il *eut aperçu* la multitude (passés antérieurs).

Ex. Nous doutions qu'il *fût* de taille à assumer cette succession difficile (Subjonctif imparfait) et qu'il *eût fait* le nécessaire pour s'y préparer (Subjonctif plus-que-p.)

CHAPITRE XIV

LE PRÉSENT. PROBLÈMES DU 1er GROUPE

1. Passons aux autres verbes. À l'Indicatif présent, si le pluriel est en -ONS /, -EZ /, -ENT (sauf exceptions rarissimes), le singulier se répartit entre deux types principaux :

— le type -E / -ES / -E pour les verbes du 1er groupe (infinitif en -ER). Ex. Je trouvE, tu trouvES, il trouvE ;
— le type -S / -S / -T pour la majorité des autres : verbes en -IR, aussi bien ceux du 2e groupe, modèle finIR à pluriel en -ISSONS (Ex. Je finiS / tu finiS / il FiniT) que ceux du 3e, modèle partIR à pluriel en -ONS (Ex. Je parS / tu parS / il parT). Et de plus, les « irréguliers » de ce 3e groupe en -OIR ou en -RE : je perçoiS / tu perçoiS / il perçoiT (infinitif : perce-vOIR) ou : je viS / tu viS / il viT (infinitif : vivRE).

Mais attention. Pouvoir, vouloir, valoir ont un X au lieu de l'S aux deux premières personnes : je peuX / tu peuX / il peuT. D'autre part, seule la moitié environ des verbes dont le radical se termine par un D (verbes en -DRE) se plient à la règle du -S/-S/-T, abandonnant alors le D aux trois personnes. Tels sont : contraindre, éteindre, joindre, peindre, plaindre, teindre, et la série : absoudre, dissoudre, résoudre.

> Ex. je joinS / tu joinS / il joinT ; je résouS / tu résouS / il résouT. Vous serez spécialement attentif à ce dernier point, car « je résouDs », « il résouD » sont des erreurs très fréquemment commises.

L'autre moitié des verbes en -DRE échappe à la règle et fait -DS / -DS / -D : défendre, descendre, entendre, mordre, moudre, perdre, prendre, répandre, répondre, rendre, tendre, vendre, etc...

Ex. Je perDS / tu perDS / il perD.

Vaincre et convaincre suivent une loi analogue : je convainCS / tu convainCS / il convainC.

Rompre et ses composés tiennent des deux modèles : ils gardent le P et ajoutent T à la 3e personne : je romPS / tu romPS / il romPT.

2. Il faut étudier maintenant un problème qui affecte l'Indicatif présent, mais aussi d'autres temps, de certains verbes en -ER, ceux où cette terminaison est précédée :

— des voyelles E, I, U, OU : créer, crier, saluer, louer...
— de groupes comprenant un Y : balayer, employer, appuyer...

D'abord l'**Y**. Il se maintient aux formes « nous » et « vous » des présents de l'Indicatif et du Subjonctif (nous balayons, vous employez / que nous appuyions, que vous balayiez) et dans tout l'imparfait (j'appuyais, tu employais, nous balayions...). Le code prévoit qu'ailleurs l'Y est remplacé par un I, obligatoirement pour les verbes en -OYER et -UYER, facultativement pour ceux en -AYER. Nous vous conseillons de procéder à ce remplacement pour tous et d'écrire : j'emploie, j'emploierai, que j'emploie... mais aussi : je balaie, ils paieront (plutôt que : je balaye, ils payeront) etc.

Du coup, le problème de ces verbes se ramène à celui, plus général, des verbes dont le radical se termine par E, I, U et OU. Il s'agit de maintenir à certaines formes un E que *la conjugaison exige mais que l'oreille n'entend pas.* Ainsi :

— en fin de mot au *présent de l'Indicatif*, où joue la règle du -E / -ES / -E. Comparer :
je pliE / tu pliES / il pliE (de pliER)
et : je rempliS / tu rempliS / il rempliT (de remplIR).
Ou : je saluE / tu saluES / il saluE (de saluER)
et : je concluS / tu concluS / il concluT (de concluRE)

— en fin de mot encore au *présent du Subjonctif*, où la règle du -E / -ES / -E joue cette fois *pour tous les verbes*. On aura donc « que je saluE, que tu saluES... » comme « je saluE, tu saluES... », mais aussi « que je concluE, que tu concluES... » en face de « je concluS, tu concluS... ». De même le Subjonctif « que j'envoiE » du verbe envoyER sera semblable à l'Indicatif « j'envoiE », tandis que le Subjonctif « que je voiE », de vOIR, différera de l'Indicatif « je voiS » ;

— dans le corps du mot au *futur* et au *Conditionnel*, pour toutes les formes d'un verbe du 1er groupe. Ainsi : tu criEras, nous criErions, ils criEraient (de criER) en face de : tu écriras, nous écririons, ils écriraient (de écriRE) ; vous évaluErez (de évaluER) en face de : vous inclurez (de incluRE) ; et encore : il créEra, nous pliErons, vous tuEriez, ils louEraient, je balaiErai, j'emploiErais, tu appuiErais, etc.

3. Encore un problème de lettre qu'on n'entend pas (à moins qu'on ne l'entende trop...) ; qui amène en tout cas des combinaisons de sons étranges : c'est le I des formes « nous » et « vous » de l'*Indicatif imparfait* et du *Subjonctif présent*, ce qui donne par exemple à ces 2 temps : nous employIons en face de l'Indicatif présent : nous employons. Mais d'autres verbes entrent alors en jeu, et aux modèles créer, crier, etc. et balayer, employer, etc. vont devoir s'ajouter :

— les verbes du 1er groupe dont le radical se termine par ILL ou par GN, types : briller, travailler, souiller et : aligner, baigner, soigner, etc.

— un certain nombre d'irréguliers du 3e groupe comme : conclure, craindre, croire, fuir, rire, voir, etc.

Un conseil : utilisez le moins possible ces formes *à l'imparfait*. Remplacez « nous crélons » par : « nous inventions », « vous employIez » par « vous utilisiez », « nous craignIons » par « nous redoutions », « vous fuyIez » par « vous étiez en train de fuir », etc. Cela ira mieux au Subjonctif présent où le soutien du « que » introductif, suffisant pour bien identifier le temps, évitera la gymnastique buccale peu gracieuse à quoi l'imparfait vous obligerait au contraire : il ne faut pas que nous craignIons l'effort ; je voudrais que vous brill I ez davantage.

4. Dernier problème global pour les verbes du 1er groupe (le dernier, non de ceux qui se posent, mais de ceux dont nous pouvons utilement traiter ici...) : les verbes en -ETER et -ELER redoublent le T ou l'L aux formes en « je », « tu », « il » et « ils » de l'*Indicatif présent* et du *Subjonctif présent*, ainsi qu'au *futur* et au *Conditionnel* dans toutes leurs formes : je jeTTe, ils jeTTent, tu jeTTeras, nous jeTTerions et j'appeLLe, ils appeLLent, tu appeLLeras, nous appeLLerions.

Mais quelques verbes, au lieu de redoubler le T ou l'L, mettent un **accent grave** sur l'E qui précède :

— pour -ETER : acheter, crocheter, fureter, haleter (j'achÈte...)
— pour -ELER : déceler, ciseler, démanteler, écarteler, geler (et dégeler, surgeler...), marteler, modeler, peler (je décÈle, il gÈle, nous démantÈlerons...).

CHAPITRE XV

IMPARFAIT - FUTUR - CONDITIONNEL

1. Grande sécurité à l'imparfait de l'Indicatif : les terminaisons seront *toujours*, quel que soit le groupe du verbe,

-AIS / -AIS / -AIT / -IONS / -IEZ / -AIENT

Les mêmes se retrouvent, et également *pour tous les verbes*, au conditionnel présent :

> Ex. S'ils réfléchissAIENT (imparfait) à la conjoncture, ils accepterAIENT (Conditionnel) sûrement notre offre. / Nous estimIONS (imparfait) que nous ferIONS (Conditionnel) coup double en confiant cette campagne à la Sevac.

2. Un rapport identique s'établit, d'une façon diffuse pour l'ensemble de la conjugaison mais très précise pour les formes « nous » et « vous », entre l'imparfait et le présent d'une part et, de l'autre, le Conditionnel et le futur. Comparer :

nous comptions (imparfait) / nous comptons (présent)
et : nous compterions (Condit.) / nous compterons (futur).

Les verbes les plus « irréguliers » conservent ce rapport :

nous résolvions (imparfait) / nous résolvons (présent)
et : nous résoudrions (Condit.) / nous résoudrons (futur).

Cela revient à constater au niveau des formes que le Conditionnel joue bien le rôle d'un *imparfait du futur*, comme nous l'ont appris nos comparaisons entre couleur de passé et de présent :

> Ex. Il pense que nous viendrons / il pensait que nous viendrions.

3. Pour ces trois temps (imparfait, futur, Conditionnel), les problèmes d'orthographe se réduisent à :

— d'une part, l'I disgracieux de certains imparfaits : nous appuyIons, vous craignIez (voir le chap. précédent), et l'E non perçu de certains futurs et Conditionnels : je pliErai, j'emploiErais ;

— d'autre part, le son presque identique du futur et du Conditionnel à la 1re personne du sing. : je donnerAI (mais : tu donnerAS, etc.) en face de : je donnerAIS (mais : tu donnerAIS, etc.). Donc, continuez en pensée la conjugaison, et vous saurez s'il s'agit d'un futur ou d'un Conditionnel ;

— enfin, les cas très spéciaux de *courir* et *mourir* qui, à ces deux temps, suppriment l'I et télescopent les deux RR : je couRRai, tu couRRas... (futur) / je couRRais, tu couRRais (Conditionnel). Ne pas confondre ces dernières formes avec : je couRais, tu couRais... (imparfait).

Vous vous méfierez encore, surtout pour les verbes du 1er groupe, d'autres séries de sons semblables ou presque :

> Ex. Comme les ventes progressAIENT, la direction a souhaitÉ accélérER les fabrications.

Également, des méfaits possibles d'un pronom perturbateur, qui attirant sur lui l'attention, ferait dérailler votre analyse :

> Ex. Vous *lui* demandEZ / comme : vous demandEZ. Il *vous* demandAIT / comme : il demandAIT. Je *vous* demandAIS / comme : je demandAIS. Il *les* trouvAIT... / Ils *le* trouvAIENT. Etc.

CHAPITRE XVI

LES AUTRES TEMPS SIMPLES ; L'IMPÉRATIF

1. Le tableau du chap. XII dressait la liste de 7 temps simples ; nous venons d'en examiner 4. Restent le Subjonctif présent, le passé simple et le Subjonctif imparfait. Nous y ajouterons l'Impératif.

2. Certains problèmes liés aux personnes « nous » et « vous » du Subjonctif présent, invariablement en -IONS et -IEZ, ont été abordés aux chapitres précédents. Tout le reste de la conjugaison (les 3 personnes du singulier et la 3e du pluriel) est, pour les verbes du type chantER, le même au présent du Subjonctif qu'à celui de l'Indicatif : je chantE / que je chantE ; tu trouvES / que tu trouvES ; il suppliE / qu'il suppliE ; ils percENT / qu'ils percENT.

À la 3e personne du pluriel, la similitude présent de l'Indicatif-présent du Subjonctif s'étend à tous les verbes français, à quelque groupe qu'ils appartiennent, à de très rares exceptions près. Les voici : ils vont / qu'ils aillent ; ils savent / qu'ils sachent ; ils veulent / qu'ils veuillent ; ils peuvent / qu'ils puissent ; ils valent / qu'ils vaillent ; ils font / qu'ils fassent. (On y a fait allusion au chap. IX, 5.)

Aux trois personnes du singulier, des différences plus ou moins régulières apparaissent. *Finir* et son groupe offrent « que je finisse / que tu finisses / qu'il finisse » face à l'Indicatif « je finis / tu finis / il finit ». Les verbes du 3e groupe, une cinquantaine, répondent à des types variés. Seuls l'usage, ou un traité complet de conjugaison, vous apprendront à écrire sans erreur : que j'acquière, coure, craigne, déchoie, dissolve, fuie, prenne, rende, vainque, etc.

3. Un mot sur le *passé simple* et le *Subjonctif imparfait* qui, liés à la « couleur de passé 2 » apparaîtront rarement dans nos phrases, et encore seulement à la 3e personne. On trouve les systèmes suivants :

-A / -ÈRENT / -ÂT - -ASSENT pour le 1er groupe : il déplorA / ils déplorÈRENT / qu'il déplorÂT / qu'ils déplorASSENT
-IT / -IRENT / ÎT / -ISSENT pour le 2e groupe : il rougIT / ils rougIRENT / qu'il rougÎT / qu'ils rougISSENT

— le 3e groupe offre des systèmes variés, généralement en -IT / -IRENT / -ÎT / -ISSENT et -UT / -URENT / -ÛT / -USSENT : il mentIT, qu'il mentÎT / il naquIT, qu'il naquÎT / il résolUT, qu'il résolÛT / il vécUT, qu'il vécÛT, etc... Venir fait « il vINT / ils vINRENT / qu'il vÎNT / qu'ils vINSSENT, de même que tenir et leurs composés : il survINT / qu'il maintÎNT...

Tous ces exemples mettent en lumière une différence importante, déjà évoquée pour les auxiliaires *avoir* et *être* : à la 3e personne du singulier, le 1er groupe termine par un -A (sans accent) le passé simple, et par -ÂT (avec accent circonflexe) le Subjonctif imparfait. Et pour tous les verbes qui n'appartiennent pas au 1er groupe, les deux formes sont identiques, à cela près que le Subjonctif imparfait porte un accent circonflexe et pas le passé simple : il allA / qu'il allÂT ; il estimA / qu'il estimÂT ; il partIT / qu'il partÎT ; il conduisIT / qu'il conduisÎT ; il parUT / qu'il parÛT ; il conclUT / qu'il conclÛT ; il fIT / qu'il fÎT ; il mIT / qu'il mÎT etc.

4. Nous n'avons guère eu l'occasion de parler de l'Impératif. Il comporte un passé, évoqué au chap. XIII à propos des auxiliaires (*aie terminé* avant 11 h. / *sois revenu* pour l'ouverture des travaux), et un présent à 3 formes :

— 2e du sing. : avance, fournis, reçois, conclus
— 1ere du plur. : avançons, fournissons, recevons, concluons
— 2e du plur. : avancez, fournissez, recevez, concluez.

La 2e du singulier est la seule à poser un problème d'orthographe. Elle s'écrit comme la 2e pers. du sing. de l'Indicatif présent correspondant, sauf pour les verbes en -ER, où l'on retranche l'S final. Ainsi : « fournis » comme « tu fournis » et « conclus » comme « tu conclus » ; mais : « avance » face à « tu avanceS » et « récidive » face à « tu récidiveS ».

Cependant, dans ces verbes du 1er groupe, l'S revient devant les pronoms EN et Y.

> Ex. DonnE / DonnE m'en / Mais : donnES-en un peu à tes amis. CherchE / CherchE-le / Mais : Tu n'as pas d'amis, cherchES-en. Tu vas à la foire, cherchES-y des timbres rares.

Tout à fait exceptionnels, *savoir* et *vouloir*, enfin, construisent leur Impératif à partir, non de l'Indicatif, mais du Subjonctif : sache / sachons / sachez et veuille / veuillons / veuillez. Vous connaissez l'importance de cette dernière forme dans l'expression qui termine tant de lettres commerciales ou administratives : *Veuillez* agréer...

CHAPITRE XVII

TEMPS COMPOSÉS ; ACCORD DU PARTICIPE

1. Les 7 temps composés (liste du chap. XII) seront traités ici ensemble, puisqu'ils ne posent — et de la même façon pour chacun — que 2 sortes de problèmes :

- celui des auxiliaires *être* et *avoir* avec lesquels ils sont « composés », et qui seuls, en ce cas, se conjuguent vraiment (voir chap. XIII) ;
- celui du fameux « accord du participe passé », le verbe dont il s'agit apparaissant ici sous la forme de son participe, précédé précisément d'*être* ou d'*avoir*.

> Ex. Elle *a acceptÉ* une participation aux frais. La prime *qu'ils ont acceptÉE* les rend solidaires du groupe. Ils *avaient conclU* des accords avec tous leurs concurrents. Les accords *qu'il avait conclUS* l'enchaînaient. Elles *auront déjeunÉ* rapidement et *seront repartiES* vers 13 h. Nous *nous sommes rendUS* aux raisons *qu'il nous a opposÉES*.

Lourd problème, que nous ne prétendons pas épuiser en quelques pages : d'excellents ouvrages y sont consacrés, et d'ailleurs dans cette collection même. Pour faire bonne mesure, nous y joindrons une évocation rapide des « voix » *passive* et *pronominale*, où intervient l'auxiliaire *être*.

2. D'abord : quel auxiliaire ? *Avoir* à la voix active dans la quasi-totalité des cas. Seuls veulent *être* une vingtaine de verbes, faciles à grouper en paires :

aller / venir (et survenir, devenir, intervenir, etc.)
arriver / partir ; naître / mourir
rester / demeurer ; accourir / apparaître
monter* / descendre* ; entrer* / sortir* etc.

Ex. (Cas général – auxiliaire avoir) : j'ai acquis – tu avais aperçu – dès qu'il eut compris... – quand nous aurons résolu... – bien que vous ayez promis... – sans qu'il eût décidé...

Ex. (Cas de cette vingtaine de verbes, auxiliaire être) je suis resté – tu étais venu – dès qu'elle fut accourue... – quand nous serons entrés – avant que vous ne soyez partis – sans qu'elle fût descendue...

Attention : très peu nombreux dans le dictionnaire, ces verbes sont très fréquents dans nos phrases. D'autre part certains, ceux qu'on a marqués d'un astérisque, changent d'auxiliaire selon le sens : *Je suis rentré* à 8 heures / *j'ai rentré l'auto* dans le garage. *Nous sommes redescendus* vivement / *nous avons redescendu l'escalier* quatre à quatre.

Aux voix passive et pronominale, l'auxiliaire est toujours *être* :

Ex. Un groupe suédois rachètera l'usine = l'usine *sera rachetée* par un groupe suédois. Ils ont combattu longtemps / Mais : *ils se sont combattus* longtemps.

3. Autre problème capital : l'accord.

— Partout où intervient *être*, le participe s'accorde avec le sujet du verbe.

a) à l'actif : il est sortI ce matin / elle est sortIE / ils sont sortIS / elles sont sortIES ; il est morT lundi dernier / elle est morTE / ils sont morTS / elles sont morTES.

b) au passif et au pronominal : il est démIS de toutes ses fonctions / elle est démISE / ils sont démIS / elles sont démISES ; il s'est déportÉ vers la droite / elle s'est déportÉE / ils se sont déportÉS / elles se sont déportÉES.

Une exception compliquée pour les pronominaux, liée à un problème de complément d'objet : dans le doute, n'en tenez pas compte, ou consultez un ouvrage spécialisé : Elles s'étaient donnÉES de toute leur âme à la cause de la libération de la femme. / Mais : Elles s'étaient donnÉ le mot pour tromper les journalistes.

— Quand l'auxiliaire est *avoir*, l'accord se fait avec le complément d'objet, *mais seulement s'il est représenté avant le verbe* par un pronom comme « la » ou « les », « que », etc.

> Ex. Elles avaient souvent remarquÉ ces allées et venues suspectes. / Mais : Ces allées et venues suspectes, il *les* avait souvent remarquÉES. Vous aviez mIS ce jour-là une jupe à volants qui me plaisait beaucoup. / Mais : La jupe à volants *que* vous aviez mISE ce jour-là me plaisait beaucoup.

Voilà pour l'essentiel. Pour un examen détaillé de ces questions, qui en ont fait transpirer plus d'un, reportez-vous à un ouvrage spécialisé.

TROISIÈME PARTIE

TACTIQUES DE JEU

CHAPITRE XVIII

LE RÉCIT AU PASSÉ COMPOSÉ
(développement)

1. La première partie de ce livre l'a souvent constaté : ce que nous avons appelé la « couleur de passé 1 » est la plus normalement utilisée, dans le français contemporain, pour le récit des événements passés. C'est à ce titre que nous lui donnons une place importante dans la troisième partie qui s'ouvre maintenant.

Ce récit repose sur une sorte de cellule de base (la case centrale du modèle décrit au chap. III), qui comporte deux éléments : la phrase au *passé composé* — nous abrègerons désormais en P.C. — et la phrase à l'*imparfait* — nous abrègerons en IMP.

> Ex. La grève *a repris* dès la fin des congés (P.C.). On *savait* les cols-blancs désireux d'en découdre (IMP). Ils *ont lancé* le 2 septembre un ultimatum. (P.C.). Le 3 au soir, le Directeur du Personnel *a rendu* publiques des contre-propositions (P.C.). Elles *équivalaient* à un refus (IMP). Une majorité écrasante des employés *a voté* alors la reconduction du mouvement (P.C.).

2. Nous tenons là une des structures les plus sûres du français actuel. La preuve : cette « cellule de base » constitue l'armature de tous nos récits parlés. Si peu soigné qu'en soit l'accompagnement en matière de vocabulaire ou de prononciation, cette armature représente la marque, dans nos propos les plus familiers, du génie profond de notre langue.

> Ex. T'*as vu* le type (P.C.), il *était* furax (IMP.). I *s'est foutu* à gueuler comme un veau (P.C.). Personne *pouvait* pus le retenir (IMP.).

Un professeur ferait bien des reproches à une telle suite de phrases. Pour le vocabulaire, cela va de soi. Et aussi pour la réduction de « tu » à « t' » devant voyelle ; de « il » à « i » devant consonne ; de « plus » à « pus » ; pour la négation incorrecte, privée de son « ne » (au lieu de : personne *ne* pouvait *plus*). L'essentiel est cependant que l'emploi des temps et leur succession se trouvent ici spontanément conformes à ce que la langue peut exiger de plus rigoureux. Comment, d'ailleurs, en serait-il autrement ? C'est le parleur qui fait la langue...

À ce titre, ce récit n'est pas moins une performance-modèle, signe d'une compétence irréprochable dans le maniement du français, que n'importe lequel des autres exemples de ce livre.

3. Mais de plus, depuis quelques dizaines d'années, le français écrit a, sur ce point, rejoint le français parlé, renonçant dans l'immense majorité des cas à un autre modèle fondé sur l'emploi du passé simple (voir l'avant-propos, p. 5 et le chap. IV). Du coup, notre cellule de base se trouve apte à porter aussi bien, avec le vocabulaire le plus choisi, le récit des plus solennelles circonstances :

> Ex. Le nouveau pape *est apparu* à la loggia (P.C.). Il *s'est adressé* à la foule innombrable (P.C.), qu'une ferveur venue du lointain des âges et des profondeurs de la foi *bouleversait* en cette minute sur la Piazza prestigieuse (IMP). La voix du Pontife ne *tremblait* pas (IMP). L'assistance *a obscurément compris* (P.C.) que cet homme venu de l'Orient *était* le chef qu'elle *attendait* (IMP), destiné par le choix de l'Esprit à la conduire d'une main ferme vers l'Orient du troisième millénaire.

4. Un spécialiste du style parlerait peut-être de « genre moyen » pour le récit de la grève, de « genre bas » pour « t'as vu le type » et de « genre haut » pour les cérémonies romaines.

Cela revient à distinguer trois genres d'expression ou niveaux de langue. Mais on voit que c'est tout un pour notre cellule de base P.C./IMP : elle se trouve à l'aise dans les trois. Nous visons essentiellement dans ces pages le « genre moyen », celui que met en jeu notre activité quotidienne d'écriture, mais vous saurez que les deux autres sont aussi bien à votre portée, et nous y ferons quelques incursions.

CHAPITRE XIX

PASSÉ COMPOSÉ ET IMPARFAIT

1. Les P.C. constituent la trame du récit, ils sont les vrais « raconteurs ». Ce sont eux qui disent *ce qui s'est passé*, de jour en jour ou d'un instant à l'autre : on peut les dater, les minuter.

Ex. La délégation canadienne *est arrivée* mardi ; elle *a rencontré* dès mercredi les responsables de notre bureau de tourisme ; jeudi, elle *a visité* notre annexe de St-Jean-de-Luz.

Ex. À 8 heures, les rotatives *ont été mises* en marche. À 8 h 25, on *a signalé* un incident sur la machine BX 17. À 8 h 40, le chef d'atelier *a décidé* de procéder à une révision.

2. Les IMP représentent en général des points d'arrêt : on stoppe le récit proprement dit pour commenter, expliquer ou décrire. On dirait en termes de théâtre que c'est un coup d'œil au décor pendant une pause dans le jeu des acteurs.

Ex. La délégation est arrivée mardi. Elle *comprenait* un directeur des ventes et 4 ingénieurs de fabrication.

Ex. À 8 h., les rotatives ont été mises en marche. Le chef d'atelier *observait* attentivement.

La « ponctualité » dont on parle parfois pour le P.C., et qui permettrait de le distinguer de l'IMP, plus étendu dans le temps, n'est qu'un effet secondaire, et pas toujours réalisé, Un IMP peut couvrir une durée très mince. (Le calme *durait* depuis deux minutes à peine) et un P.C. une très longue (Il a *vécu* ainsi pendant quinze ans). C'est le rapport de l'un à l'autre, c'est leur opposition dans le corps du récit qui mettent en lumière les *valeurs* réciproques du P.C. et de l'IMP, comme on va mieux le voir immédiatement.

3. Les valeurs varient dans cette cellule de base selon que le P.C. précède ou suit l'IMP.

S'il le précède, on a le schéma : P.C. + IMP et l'IMP apporte *un détail intéressant.* C'est le cas des exemples antérieurs sur « la délégation qui *comprenait* 4 ingénieurs » ou « le chef d'atelier qui *observait* les rotatives ».

S'il le suit, on a le schéma : IMP + P.C., et l'IMP, préparant le P.C., suggère *une explication* de ce que va dire le P.C.

> Ex. La discussion s'envenimait ; le secrétaire général a décidé de suspendre la séance. (C'est *parce qu'elle s'envenimait* que...)

Et tout aussi bien, d'ailleurs, l'explication de quelque chose qui *aurait dû* se produire, mais qu'une démarche de sens contraire a empêché. Le fait est signalé alors par un mot du type « cependant », « néanmoins », etc.

> Ex. La discussion s'envenimait ; le secrétaire général a cependant décidé de mener la séance à son terme. (Ou : n'en a pas moins décidé...)

4. Une ponctuation spécifique, les deux-points (:) est alors particulièrement bien venue, même si le point ou le point-virgule conviennent aussi ; mais la simple virgule serait un peu légère.

Avec les deux-points ou pas, l'idée d'explication est suggérée dès qu'on a l'ordre IMP + P.C. Si on a l'ordre inverse P.C. + IMP, elle peut exister aussi, mais mieux vaut alors préciser par des expressions comme « en effet », « c'est que » etc.

> Ex. L'étape promettait d'être dure : nous nous sommes mis en route à l'aube. / Nous nous sommes mis en route à l'aube : c'est que l'étape promettait d'être dure.

Les deux ordres alternent d'ailleurs constamment. Dans l'exemple de la grève des cols-blancs (chap. XVIII, 1), l'IMP « elles *équivalaient* à un refus » suit le P.C. « il *a rendu* publiques des propositions ». C'est un détail très important concernant ces propositions. Mais ce même IMP précède un nouveau P.C. « Une majorité *a voté* alors la grève ». Cette fois, le fait que ces propositions « équivalaient à un refus » *explique* la décision des employés.

On tient là tout à la fois l'illustration d'un phénomène capital et une amorce de conseil stylistique. Le phénomène illustré, c'est qu'une forme verbale, que la grammaire tient comme endormie, se réveille dès qu'une de nos phrases l'utilise auprès d'une autre forme et développe à ce contact mille possibilités d'expression. Ainsi pour ces formes verbales que sont le P.C. et l'IMP. L'ordre des mots « parle », la syntaxe est, par elle-même, expressive.

Le conseil vient alors spontanément : le sens de ce que vous écrivez apparaîtra en pleine lumière et vous ferez l'économie de bien des surcharges disgracieuses si vous savez utiliser les formes, si vous êtes expert en « emploi des temps ».

CHAPITRE XX

VALEURS DE L'IMPARFAIT

1. D'après le chap. XIX, 2, on comprend aisément qu'une suite de P.C. produira l'effet d'un récit sans pause. Il arrive qu'on recherche cette sorte d'effet. Le texte donnera alors l'impression de démarches pressées, de décisions rapides, d'activité intense.

> Ex. On m'a rapporté le propos. J'ai réagi immédiatement. J'ai convoqué Perrin. Il a nié. J'ai insisté. Il a fini par admettre son indiscrétion. J'ai formellement interdit qu'on le laisse seul désormais dans mon bureau.

Si la tension apparaît trop forte, un IMP permettra la pause indispensable. Ce pourrait être, dans le récit précédent, à l'évocation du nom de Perrin. Une phrase à l'IMP décrirait par exemple le comportement du personnage.

> Ex. ... J'ai convoqué Perrin. Il *faisait* le fier à son habitude, et ne *semblait* pas se douter de ce qui l'*attendait*. Mis au courant, il a commencé par nier.

2. D'après la même logique, une suite d'IMP représentera au contraire une sorte de renoncement momentané au récit. Ici encore l'effet peut être voulu : on a besoin d'exposer bien toutes les circonstances.

> Ex. Toute la région s'installait dans le marasme. Les carnets de commandes demeuraient vides. L'usine ne tournait plus qu'au tiers de sa capacité. Le chômage menaçait. L'angoisse allait en augmentant...

Le premier P.C. à intervenir apportera une solution à l'attente ainsi créée. La suite du « tableau » précédent pourrait être par exemple :

> Ex. C'est alors que le groupe Dufourcq-Colombet nous *a fait* parvenir une offre détaillée pour une prise de participation au capital financier de l'entreprise.

3. ... À moins que le texte n'ait précisément pour but de dresser un « tableau » de la situation, hors de tout récit d'événements particuliers. Vous pourrez ainsi rédiger un paragraphe dont tous les verbes seront à l'IMP pour évoquer des habitudes, des répétitions, ce qui se faisait toujours à une certaine époque.

> Ex. Nous retrouvions avec joie nos habitudes de l'été précédent. Chaque matin, le petit déjeuner réunissait au jardin toute la famille. Nous descendions ensuite vers la baie où Jean-Louis faisait du ski nautique, tandis que Marie-Jeanne et ses amies jouaient au hand-ball sur la plage.

> Ex. Les civilisations américaines d'avant la découverte présentaient bien des aspects modernes. Elles connaissaient et exploitaient des plantes qu'ignorait alors le reste du monde : caoutchouc, coca, maïs. Les Mayas utilisaient le zéro, fondement de notre arithmétique. Socialiste ou totalitaire, le régime des Incas annonçait les formules politiques du monde contemporain.

4. Plus curieux apparaît l'usage de l'IMP comme remplaçant du P.C. Il y a passage de pouvoirs, l'IMP devenant alors un élément de la trame, non de la chaîne. Il agit comme « raconteur », à la place du P.C.

> Ex. Claudia était arrivée pleine d'entrain le 19 avril. Le lendemain, elle *repartait* désespérée.

> Ex. Les colonnes blindées allemandes se sont emparées de Rostov le 21 novembre 1941. Hitler, alors, a cru ouverte la route du Caucase et l'a fait proclamer par la propagande de Goebbels.

Illusion vite évanouie : dès le 26, la ville *était reprise* par l'Armée Rouge.

Cet emploi correspond souvent à des moments dramatiques du récit. Vous l'utiliserez pour ouvrir ou fermer un paragraphe en évoquant une décision surprenante ou un renversement inattendu de situation. En même temps, l'IMP « raconteur » continue de souligner, mieux qu'un P.C., le lien entre l'action évoquée et l'ensemble du tableau sur lequel elle se détache : action dramatique, donc, mais aussi action-tableau. On pourrait dire que cet IMP équivaut à un « P.C. glissé ».

Ex. La décision d'interdire nos activités en Égypte a été notifiée le 15 à la Direction du Club. Nous avons tenté toute la journée d'obtenir des précisions sur cette mesure inexplicable. Nos experts ont consulté le Ministère qui n'a pu que promettre de s'informer à son tour.

Heureusement, un démenti formel nous *parvenait* par dépêche dans l'après-midi du 16.

CHAPITRE XXI

VERS LA COULEUR DE PRÉSENT : VALEURS DU PRÉSENT

1. Le sujet qui nous a retenus pendant les 3 chapitres précédents — la combinaison P.C./IMP dans la case centrale de la « couleur de passé 1 » — représente un carrefour. Il sera facile, à partir de là, de rayonner vers divers types d'études complémentaires.

D'abord, vers la « couleur de passé 2 ». Tout ce que nous avons dit de l'alternance P.C./IMP y reste vrai, à la seule différence que pour l'emploi et pour le sens, c'est le passé simple qui tient ici le rôle du P.C. Ainsi l'exemple de la double bataille pour Rostov pendant la 2e Guerre Mondiale (chap. XX, 4) pourra se trouver sous la forme suivante dans un livre d'histoire contemporaine qui raconterait en « couleur de passé 2 » :

> Ex. Les colonnes blindées allemandes *s'emparèrent* de Rostov le 21 novembre 1941. Hitler, alors, *crut* ouverte la route du Caucase et le *fit* proclamer par la propagande de Goebbels.
>
> Illusion vite évanouie : dès le 26, la ville *était reprise* par l'Armée Rouge.

2. En « couleur de présent », avantage évident pour le rédacteur : les différences indiquées entre les emplois du P.C. et de l'IMP s'effacent dans la case centrale où le Présent suffit à tout.

> Ex. La discussion *s'envenime* ; le secrétaire général *décide* de suspendre la séance (en « couleur de passé 1 » on aurait, comme nous l'avons vu, un IMP à la place du premier présent et un P.C. à la place du second).

Mais les choses se compliquent par ailleurs. En fait, la phrase précédente peut avoir deux sens très différents, à prendre parmi les 5 sens que le présent permet d'exprimer, et que nous allons énumérer maintenant :

— a) le présent réel, celui des faits qui se produisent au moment où l'on en parle, dans la conversation, le reportage radio, le journal intime, la lettre. Ainsi la phrase sur « la discussion qui s'envenime » peut avoir été dite par un reporter qui suivrait et transmettrait en direct les péripéties d'une réunion politique. Ainsi encore :

> Ex. Papaix fait une longue passe à Perret, qui feinte magnifiquement l'arrière adverse Pomery. Il se retrouve seul devant les buts. Il tire, et c'est le goal. (Reportage de match de football.)
>
> Ex. Je jouis par tous mes pores du calme de cette soirée. Une brise légère agite les rideaux. J'entends la voix de Maryse sur la terrasse. Les enfants vont et viennent en riant. Je crois qu'ils poursuivent le chat. (Lettre ou journal intime.)

— b) le présent fictif (voir chap. II et plus loin chap. XXII). Les événements décrits sont en réalité passés — par exemple, la séance houleuse que le secrétaire général a décidé de suspendre. En fait, c'est pour dramatiser que je transforme en reportage ce qui devrait être un récit, par un effet analogue à ceux de « zoom » ou de « gros plan ». Ainsi encore, l'épisode de Rostov pourra être évoqué de la façon suivante :

> Ex. Les colonnes blindées allemandes s'emparent de Rostov le 21 novembre 1941. Hitler, alors, croit ouverte la route du Caucase et le fait proclamer par la propagande de Goebbels.
>
> Illusion vite évanouie : dès le 26, la ville est reprise par l'Armée Rouge.

Remarque : nous avons ainsi été amenés à présenter successivement en couleur de passé 1 et 2, puis en couleur de présent (fictif) un même événement : la prise de Rostov. C'est un bon exemple des moyens que la langue vous offre pour raconter.

— c) le présent d'habitudes ou de faits répétés. C'est l'équivalent, en couleur de présent, de l'IMP-tableau de la couleur de passé. Ainsi, le paragraphe à l'IMP du chap. XX, 3, deviendra, dans une lettre de vacances ;

> Ex. Nous retrouvons avec joie nos habitudes de l'été dernier. Chaque matin, le petit déjeuner réunit au jardin toute la famille. Nous descendons ensuite vers la baie où Jean-Louis fait du ski nautique, tandis que Marie-Jeanne et ses amies jouent au hand-ball sur la plage.

Ici encore, une remarque importante : le changement de « couleur » n'est pas signalé seulement par l'emploi d'un temps différent. Un complément comme « l'été précédent » est devenu « l'été dernier ». De même, d'autres circonstanciels et des adverbes se modifient quand on change la « couleur » de la phrase : « ici » prend la place de « là », « maintenant » de « alors », « hier » de « la veille », « demain » de « le lendemain », etc.

— d) le présent des lois constantes et des vérités éternelles. Type : l'eau bout à cent degrés — l'histoire est un éternel recommencement — mieux vaut douceur que violence, etc... Il est à noter que ces présents-là ne changent pas quand on les intègre à une narration en couleur de passé.

> Ex. Les remontrances du représentant de la FTOC nous jettent dans l'indignation. Mais nous réfléchissons qu'une riposte ouverte ne fera que durcir le conflit et que, comme *dit* le proverbe, mieux *vaut* douceur que violence.

Les verbes de cette suite de phrases changeront en passant à la « couleur de passé », *à l'exception des deux soulignés* :

> Ex. Les remontrances du représentant de la FTOC nous ont jetés dans l'indignation. Mais nous avons réfléchi qu'une

riposte ouverte ne ferait que durcir le conflit, et que, comme *dit* le proverbe, mieux *vaut* douceur que violence.

— e) enfin le présent qui, par une extension fort naturelle de son champ d'application, représente un passé très récent ou un futur très immédiat (la position « sous le projecteur » s'est un peu élargie) :

> Ex. Nous recevons à l'instant votre lettre. / Il part pour Londres demain à la première heure.

3. Nous noterons pour finir que la « couleur de présent » conserve pour la case « en arrière du projecteur » la possibilité d'alternance P.C./IMP. Là joueront à plein les règles d'emploi définies pour ces deux temps aux chap. XIX et XX.

> Ex. Nous faisons toutes réserves sur votre comportement des dernières semaines. Vous connaissiez notre position en matière d'assurance-incendie. Vous avez néanmoins omis de nous consulter avant de modifier vos barêmes. Ne soyez donc pas surpris si nous ne vous suivons pas dans cette voie.

On retombe, à la fin, au présent, après une incursion dans le passé par IMP et P.C. Mais c'est que les « couleurs », d'une certaine façon, s'entremêlent ; que tout récit « couleur de passé » est comme contenu dans une immense case « en arrière du projecteur », dépendant d'un perpétuel « je suis en train de raconter que... »

CHAPITRE XXII

EN AVANT ET EN ARRIÈRE DU PROJECTEUR

1. Revenons au schéma à 6 cases décrit aux chap. II et III, dont nous regroupons ici les éléments :

couleur / position	de présent	de passé
en arrière du projecteur	P.C./IMP	Plus-que-P.
sous le projecteur	Présent	P.C./IMP
en avant du projecteur	Futur	Conditionnel

Ce ne sont là, bien sûr, que les éléments fondamentaux, et l'objet du présent chapitre est de montrer avec plus de précision ce qui se passe dans chaque case, quels autres temps ou formules sont susceptibles d'y remplacer le temps indiqué ici, et dans quelles conditions les « couleurs » elles-mêmes peuvent alterner dans un texte assez long.

2. Élargissons d'abord une constatation déjà faite : l'alternance P.C./IMP existant dans une case donnée va, comme le montre le tableau ci-dessus, s'effacer pour la case correspondante dans laquelle on tombe par changement de « couleur » :

Ex. (en couleur de présent : reportage ou lettre). Le maire inaugure en ce moment l'exposition « L'Art au village » qui a été montée hier place du Bief. Plusieurs centaines de visiteurs se pressent autour de lui. Personne ne prévoyait un tel enthousiasme.

Ex. (en couleur de passé). Le maire a inauguré le 2 mars l'exposition « L'Art au village » qui avait été montée la veille place du Bief. Plusieurs centaines de visiteurs se pressaient autour de lui. Personne n'avait prévu un tel enthousiasme.

« inaugure » et « se pressent », tous deux au présent dans la 1re version, deviennent l'un un P.C., l'autre un IMP dans la 2e. Inversément, « avait été montée » et « avait prévu », tous deux au plus-que-parf. dans la 2e version, étaient l'un un P.C., l'autre un IMP dans la 1re.

3. Étudions les cases « en arrière » et « en avant du projecteur », en couleur de présent aussi bien que de passé. On pourra en réalité trouver dans chacune d'elles jusqu'à 6 temps ou formules différentes, au lieu du temps unique indiqué dans le tableau.

Soit la case « en avant du projecteur » dans des phrases du type « il m'annonce que » (couleur de présent) ou « il m'a annoncé que » (couleur de passé). Le tableau indique une suite soit au futur, soit au Conditionnel :

Ex. Il m'annonce qu'il partira demain / Il m'a annoncé qu'il partirait le lendemain.

Mais on pourra trouver aussi :

Ex. Il m'annonce qu'il *va partir* demain. / Il m'a annoncé qu'il *allait partir* le lendemain (utilisation de l'auxiliaire d'appoint « aller », qui sans introduire une nuance de sens très précise, joue plutôt des différences de niveau de langue évoquées à la fin du chap. XVIII). On pourra juger cette formule légèrement « familière », simplement peut-être parce qu'elle est la plus courante en français parlé.)

Et encore :

Ex. Il m'annonce qu'il *part* demain. / Il m'a annoncé qu'il *partait* le lendemain [à cause de la valeur e) du présent, étudiée au chap. XXI, 2, présent « étendu » à valeur de futur proche, à laquelle correspond une extension parallèle du sens de l'IMP en couleur de passé].

En jouant avec ces possibilités, essayez-vous à écrire :

Ex. Nous savons qu'ils déposeront (ou : *vont déposer* ; ou : *déposent*) cet après-midi une motion en ce sens. / Nous savions qu'ils déposeraient (ou : *allaient déposer* ; ou : *déposaient*) la nuit suivante une motion en ce sens.

Ex. Notre agent nous câble que la campagne publicitaire démarrera (ou : *va démarrer* ; ou : *démarre*) mardi prochain. / Notre agent nous a câblé que la campagne démarrerait (ou : *allait démarrer* ; ou : *démarrait*) dans les jours à venir.

4. Mais de plus, un nouveau jeu de possibilités vient croiser les précédentes, les multipliant par 2, de sorte qu'on arrive pour chaque case au total de 6 annoncé plus haut.

Pour la couleur de passé, cela tient au sens ambigu du P.C. indiqué à la fin du chap. XII : passé vrai, ou passé-présent. Vous pourrez donc écrire :

Ex. Il nous a annoncé (le 5 novembre = passé vrai) qu'il partirait (ou : allait partir ; ou : partait) le lendemain. Mais : Il nous a annoncé (tout à l'heure = passé-présent) qu'il partirait (ou : allait partir ; ou : partait) demain. Et à partir de là — voilà les trois possibilités nouvelles — : Il nous a annoncé (tout à l'heure = passé-présent) qu'il *partira* (ou : qu'il *va partir* ; ou : qu'il *part*) demain.

Pour la couleur de présent, cela tient à la valeur b) du présent, à ce « présent fictif » (voir chap. XXI, 2) que vous pouvez introduire, par une sorte d'effet de « zoom », dans un récit couleur de passé. Supposons une alternance des deux « couleurs » qui se présenterait comme suit :

Ex. C'était en décembre dernier. Il semblait que Jean-François dût être des nôtres longtemps encore. Là-dessus, il nous *annonce* brusquement un dimanche que...

La couleur de présent (fictif) vient d'être introduite. Vous pouvez choisir, pour continuer, l'une quelconque des 6 combinaisons suivantes :

> Ex. ... il nous annonce brusquement qu'il partira le lendemain (ou : qu'il va partir / part / partirait / allait partir / partait le lendemain).

Réfléchissons. Si les 2 jeux d'accords sont possibles en couleur de passé, c'est parce que le P.C. introducteur est senti tantôt comme un vrai passé, tantôt comme un passé-présent. En couleur de présent le phénomène est différent, le présent fictif est toujours senti comme l'équivalent d'un vrai passé. Seulement, l'accord se fait tantôt en fonction de ce sens passé, tantôt en fonction de la forme, qui reste celle d'un présent.

5. Vous comprendrez aisément, sans que nous ayons à insister, què des phénomènes analogues jouent pour la case « en arrière du projecteur ». En effet le présent étendu, valeur e) du chap. XXI, représente aussi un passé récent, et l'auxiliaire d'appoint « venir de » aura ici le même rôle que l'auxiliaire « aller » dans la case « en avant du projecteur ».

> Ex. (couleur de présent). Il est sorti. / Il vient de sortir. / Il sort à l'instant.

> Ex. (couleur de passé). Je lui ai dit que Claire était sortie / venait de sortir / sortait à l'instant.

Mais « venir de » couvre nettement moins d'espace vers le passé qu'« aller » vers l'avenir ; il en va de même pour le présent étendu ; il faudra donc, pour qu'un verbe introducteur au présent fictif ouvre encore ici 6 possibilités de choix, qu'il s'agisse d'un passé vraiment très proche :

> Ex. Là-dessus Métayer publie à son de trompe qu'il est rentré de Moscou (ou : qu'il vient de rentrer / rentre à l'instant / était rentré / venait de rentrer / rentrait à l'instant.)

6. En appendice : comment procéder concrètement pour introduire, dans un récit couleur de passé, un passage en couleur de présent fictif ? Nous nous bornerons à quelques conseils.

— Mettez à profit une rupture naturelle dans le tissu du récit : changement de paragraphe, série de phrases à l'IMP (puisque le chap. XX, 2, a montré qu'elles représentent en elles-mêmes une pause dans le récit), paroles rapportées, etc.

— Soulignez la rupture par des expressions comme « là-dessus », « brusquement », « soudain », « voilà que », etc.

L'exemple suivant réunit tous ces procédés :

> Ex. Le chef des ventes présentait depuis un mois des signes inquiétants. Il évitait ses collègues, cachait dans ses poches bordereaux et factures, ricanait au téléphone. « Pourquoi fonctionner quand rien ne fonctionne ? » l'entendait-on marmonner parfois.
> Soudain, le 17 septembre, après une matinée plutôt calme, le voilà qui *se lève* d'un bond, *bouscule* ses secrétaires, *saisit* une Rank-Xerox et la *lance* par la fenêtre.

CHAPITRE XXIII

LE SYSTÈME CONDITIONNEL

1. 3 temps de l'Indicatif — le présent, l'imparfait, et le plus-que-parfait — et les 2 temps du Conditionnel présentent un emploi original dans un certain type de phrase : celle où intervient une idée d'hypothèse ou de condition. Nous l'étudierons ici, pour être à même de tenter, au chapitre suivant, une révision générale de l'emploi des temps.

2. Ce n'est pas que l'idée de condition soit en elle-même plus intéressante pour nous que celles de cause, de but ou de conséquence, que nous avons examinées globalement dans les chap. VI à XI, consacrés aux liées simples et spéciales. D'ailleurs tout un secteur de ces phrases exprimant la condition — celles où n'intervient pas la conjonction « si » — relève des mêmes principes que nous avons dégagés alors.

On trouvera ainsi :

— des liées simples (verbe à l'Indicatif) après « selon que »

Ex. Nous fixerons notre attitude *selon qu'ils auront été* raisonnables ou non dans leurs propositions de tarifs.

— des liées spéciales (verbe au Subjonctif) après « à condition que », « à moins que », « à supposer que », « pour peu que », « pourvu que », « soit que... » etc...

Ex. Nous serons satisfaits *pourvu que vous le soyez* aussi.

— enfin, les liées en « au cas où » « dans l'hypothèse où » veulent leur verbe au mode Conditionnel. Paradoxalement, cela se trouve constituer une exception — pas tout à fait la seule, la suite du chapitre le montrera, mais une exception tout de même — dans des liées dont le sens est d'exprimer la condition !

> Ex. *Au cas où vos affaires vous retiendraient loin de Paris*, notre Directeur est disposé à vous rencontrer dans la ville qui vous conviendra le mieux.

3. Mais même parmi les phrases où intervient « si », certaines sont d'un type banal : celles où l'autonome dont dépend la liée en « si » ne comporte ni futur ni Conditionnel.

> Ex. Nous sommes satisfaits si vous l'êtes aussi. / Nous étions satisfaits s'ils l'étaient aussi. / S'ils avaient mis en route une fabrication nouvelle, leur directeur technique nous en prévenait immédiatement.

Attention : dans ce type de liée en « si », le présent (si vous êtes), l'IMP (s'ils étaient) et le plus-que-parf. (s'ils avaient mis) conservent leur sens « naturel ». Cela changera quand futur et Conditionnel interviendront dans l'autonome correspondante, comme on le verra aux paragraphes suivants.

4. Les changements commencent : dans une liée en « si » dépendant d'une autonome au futur ou à l'Impératif, le présent, *obligatoire*, exprime en réalité une idée d'avenir.

> Ex. Si vous *passez* par Bruxelles au cours des prochaines semaines, nous serons heureux de vous recevoir. / Si vous *passez*... ne manquez pas de nous prévenir.

Et l'on en arrive à ce qui est appelé parfois la « période conditionnelle proprement dite ». Les autonomes, au Conditionnel présent ou passé, disent le résultat qui existerait, ou vers lequel on irait, ou qui se serait produit *si* une certaine condition était ou avait été réalisée — la condition étant exprimée *par une liée à l'IMP ou au plus-que-parf.*

Ex. S'il ne pleuvait pas tant, je serais en ce moment dans le parc, à faire mon jogging quotidien. / Si la session se terminait avant le 15, nous en profiterions pour visiter le Yorkshire. / Si la mise en informatique avait été décidée plus tôt, nos ventes auraient connu une expansion plus rapide.

Remarquer comment l'IMP exprime un présent hypothétique (s'il ne pleuvait pas tant) et même un *avenir* hypothétique (si la session se terminait). Il offre ainsi un comportement parallèle à celui du présent dans l'exemple « Si vous passez par Bruxelles... », lui aussi « aspiré » par l'avenir.

Vous pouvez par ailleurs croiser, en fonction de l'idée à exprimer : Conditionnel présent dans l'autonome, plus-que-parf. dans la liée, ou, à l'inverse, Conditionnel passé dans l'autonome et IMP dans la liée :

Ex. Si la mise en informatique *avait été décidée* plus tôt, notre situation financière *serait* aujourd'hui plus sûre.

Ex. S'ils *se montraient* toujours aussi réalistes qu'ils le prétendent, *ils ne nous auraient pas, l'an passé, jetés* dans un pareil guêpier.

5. Une constante en tout cas : ni Conditionnel, ni futur dans la liée en « si » : ces temps ne se trouvent *que dans l'autonome correspondante*. Vous fuirez donc les erreurs grossières du type : s'il pleuvrait... si la session se terminerait... si la mise aurait été décidée... si vous passerez par Bruxelles...

Ces erreurs, relativement fréquentes dans la langue parlée populaire, sont compréhensibles : on sent une condition, on emploie le Conditionnel — revanche d'une logique instinctive sur ce que la syntaxe offre ici d'irrationnel et de paradoxal. Mais vous prêteriez à l'humour des chansonniers qui s'en sont toujours amusés, comme dans tel monologue à succès que vient ponctuer la phrase « si j'aurais su, j'aurais pas venu... »

À l'opposé, la langue soutenue (le « genre haut » du chap. XVIII) vous propose, aussi bien pour la liée que pour l'autonome, un Conditionnel passé « 2e forme » pour remplacer le plus-que-parf. dans la première et le Conditionnel passé courant dans l'autre.

> Ex. Si la mise en informatique *eût été décidée* plus tôt, notre prestige *s'en fût trouvé* grandi.

Ce n'est en fait, dans un autre emploi, que le Subjonctif plus-que-parf. Vous pouvez y recourir, sans abus, et encore a) plutôt dans la liée — b) seulement à la 3e personne du singulier, et — c) sans oublier l'accent circonflexe.

6. Série de variantes intéressantes qui multiplient vos moyens d'expression. Avec (et en général : après) une liée en « si » au plus-que-parf., vous indiquerez l'imminence de la catastrophe qui a été évitée de justesse, *en remplaçant dans l'autonome le Conditionnel passé par l'IMP.*

> Ex. S'il avait fait un pas de plus vers la petite, *je l'abattais* comme un chien. / S'ils n'avaient pas retiré cette motion absurde, *nous quittions* la salle.

L'idée gagne en réalisme, en vivacité, en violence même. Vous irez encore plus loin dans cette voie en remplaçant la liée en « si » par une brève expression qui en résumera le sens, et en faisant alors précéder de « et » votre autonome au Conditionnel passé ou, mieux, à l'IMP :

> Ex. Un pas de plus, *et je l'aurais abattu.* / Ou : Un pas de plus, *et je l'abattais.*

Des variantes du même genre valent pour la formule : « liée en « si » au présent / autonome au futur » du type : Si vous passez par Bruxelles, nous vous accueillerons. D'abord, le futur de l'autonome peut être remplacé par le présent étendu, valeur e) du chap. XXI.

> Ex. Si vous persistez dans ce harcèlement stupide, j'annulerai notre convention. / Ou : *j'annule.*

Mais vous pouvez aussi, comme ci-dessus, mettre un « et » devant l'autonome après avoir remplacé la liée en « si » par une expression vive ou, (c'est nouveau), par un Impératif :

> Ex. Encore quelques transactions de cette nature, *et l'entreprise perdra* tout crédit. / Un pas de plus, *et je tire.* / *Ajoutez* un mot, *et je vous chasse.*

7. Il arrive encore qu'au lieu de la suite « liée en « si » / autonome au Conditionnel », on trouve deux autonomes juxtaposées, toutes deux au Conditionnel. Il faut alors placer en tête celle qui exprime la condition, dont dépend le résultat indiqué par l'autre.

> Ex. S'ils proposaient un compromis, nous accepterions. / On pourra dire : *Ils proposeraient* un compromis, nous accepterions. Même chose au passé : Si le décret sur l'exportation avait été moins ambigu, nous aurions exploré d'autres marchés. / On pourra dire : Le décret... *aurait été* moins ambigu, nous aurions exploré...

Le même type de transformation peut affecter la suite « liée en « si » / autonome au futur ». Les autonomes juxtaposées, avec toujours en tête celle qui exprime la condition, seront alors, le plus souvent, toutes les deux au présent ; mais le tour paraîtra familier :

> Ex. Si vous augmentez le prix de votre terrain, nous nous installerons ailleurs. / On pourra dire (mais remarquez la locution introductive qui souligne la familiarité du tour) : C'est tout simple, vous savez : *vous augmentez* le prix de votre terrain, *nous nous installons* ailleurs.

... Ce qui nous permet de détecter une nouvelle valeur du présent, un peu marginale, mais d'effet très vif, quoique (ou : parce que) familier : un présent d'hypothèse !

> Ex. Si tu démissionnes (ou : à supposer que tu démissionnes), à quoi cela t'avancera-t-il ? / On pourra dire : Bon, *tu démissionnes* : à quoi ça t'avance ? / Et de même : Soit, *nous déposons* notre bilan : et après ?

Reprenons la transformation de : « S'ils proposaient... nous accepterions », devenu « Ils proposeraient... nous accepterions. » La seconde autonome exprime une conséquence, qui est sentie comme naturelle ou probable, des données exposées dans la première. Mais on peut avoir à parler d'une conséquence inattendue, d'une position qu'on maintient *malgré* des données défavorables (situation d'entêtement, de défi). En ce cas :

— la première autonome, celle qui exprime la condition, *pourra* avoir son sujet inversé ;
— la deuxième autonome *devra* être introduite par « que ».

> Ex. Même s'ils proposaient un compromis plus avantageux, nous refuserions de signer. / On pourra dire : *Ils proposeraient* un compromis plus avantageux, *que nous refuserions* encore de signer. / Ou, avec inversion : *Proposeraient-ils* un compromis... *que nous refuserions* encore...

Même chose en situation de passé :

> Ex. Même si la SDN était intervenue plus efficacement en Éthiopie, elle n'aurait pas empêché la prise d'Addis-Abeba. / On pourra dire : La SDN *serait intervenue* plus efficacement en Éthiopie, *qu'elle n'aurait pas empêché...* / Ou, avec inversion : La SDN *serait-elle intervenue... qu'elle n'aurait pas empêché...*

8. C'est ainsi que s'expliquent, souvent en substitution des liées d'opposition en « même si » (auxquelles s'appliquent rigoureusement par ailleurs toutes les règles d'emploi des liées en

« si »), un certain nombre d'expressions figées où intervient le Conditionnel. Apprenez à les utiliser : elles passent pour élégantes.

— avec : quand, quand même, quand bien même, lors même que : Je continuerais de veiller sur lui, quand même il me le reprocherait (= même s'il me le reprochait)
— ne serait-ce que, n'eût été : Revenez, ne serait-ce que pour la forme (= même si ce n'était que...) / Il serait mort, n'eût été sa constitution robuste (= s'il n'y avait pas eu...)
— d'autres expressions, pas encore tout à fait figées, apparaissent quand on applique le modèle étudié plus haut à des verbes-outils très fréquents (savoir, pouvoir, vouloir, etc.) et dans des phrases réduites presque à ce seul verbe : « *Le voudrait-il*, que ce serait trop tard. » « *L'aurait-il su*, que cela n'aurait rien changé. » Vous toucherez au fin du fin en combinant à cela l'emploi du passé 2e forme : « *M'eût-il reconnu, qu'il eût préféré* m'éviter... »

CHAPITRE XXIV

PANORAMA DE L'EMPLOI DES TEMPS

1. Groupons maintenant, pour une vue d'ensemble de l'emploi des temps, les observations de cette IIIe Partie. Elle a saisi ces temps en action dans nos phrases, ce qui est la seule méthode féconde. Il s'agit de comprendre que tel temps peut *remplacer* tel autre, ou *alterner* avec tel autre, ou que tel changement dans l'autonome en *entraîne* tel autre dans la liée.

Ainsi, pour l'Indicatif présent, le chap. XXI a décelé 5 emplois : a) présent réel — b) fictif — c) des habitudes et des répétitions — d) des lois constantes — e) étendu. Le chap. XXIII vient d'en décrire un 6e : f) présent désignant l'avenir dans une liée en « si ».

Ce classement répond à la réalité : chaque présent a un comportement distinct. En couleur de passé, a) devient tantôt un P.C., tantôt un IMP ; c) toujours un IMP ; d) reste un présent. b), passé déguisé en présent, se comporte tantôt en passé, tantôt en présent (voir chap. XXII). e) peut être remplacé par un futur ou un passé. f), avec sa liée en « si » dépendant d'une autonome au futur, devient un IMP quand l'autonome est au Conditionnel.

2. L'IMP reprend, à son niveau, 4 des 6 emplois du présent : b) et d) sont exclus, il n'y a pas d'IMP fictif ni d'IMP des lois constantes. Par contre il existe un IMP du type a) (en couleur de passé, il partage avec le P.C. les emplois du présent de type a) en couleur de présent) — du type e) (« Chaque matin Jean-Louis faisait du ski nautique... ») — des types e) et f), comme le montre ce jeu de correspondances qui les met en parallèle avec e) et f) en présent :

Il affirme que vous *partez* demain /
il a affirmé que vous *partiez* le lendemain.
Si vous *partez*, nous partirons aussi /
si vous *partiez*, nous partirions aussi.

L'IMP a en revanche des emplois supplémentaires, sans correspondant précis au présent. On l'a vu exprimer l'hypothèse en remplacement du Conditionnel passé : « S'il avait bougé, je le *tuais* ». Il exprime désir et regret dans une sorte de période conditionnelle tronquée de son autonome : « Ah, s'il *venait* dimanche ! » « S'il ne me *détestait* pas tant ! » « Si jeunesse *savait*, si vieillesse *pouvait* ! » Le langage enfantin l'utilise pour le jeu : « Tu *étais* la reine, et je te *faisais* une révérence... » Il dit la réserve ou la courtoisie : « Je *venais* vous demander... Je *voulais* vous faire remarquer... »

Observation importante : Dans tous ces emplois, le Conditionnel est proche de l'IMP, comme une sorte de réponse non exprimée (S'il venait dimanche... j'en *serais* si heureux ») ou comme un substitut possible (« S'il avait bougé... je *l'aurais tué* ». « Tu *serais* la reine et je te *ferais* une révérence ». « Nous *voudrions* vous demander... Nous vous *ferions* remarquer...). Rien d'étonnant : leurs formes se répondent, comme l'a fait observer le chap. XV, 2 (j'aimAIS / j'aimerAIS ; nous aimIONS / nous aimerIONS).

Mais n'est-ce pas aussi qu'il s'agit, avec le Conditionnel aussi bien qu'avec l'IMP, d'écarter le présent et son poids de réalité ? L'agresseur n'ayant pas bougé, *on ne l'a pas* tué ; désir et regret visent, bien sûr, *ce qui n'est pas* ou pas encore ; la fillette sait bien *qu'elle n'est pas* la reine ; enfin, « Je venais vous demander » est moins humiliant que « Je vous demande » et « Nous vous ferions remarquer » moins brutal que « Nous vous faisons remarquer. »

3. Donc le Conditionnel, outre son emploi en case avant de la couleur de passé (Je savais qu'il *viendrait*...) et dans la période conditionnelle (chap. XXIII), sert plus généralement à écarter le poids du présent. Souhait, rêve, comme dans le langage enfantin (« Tu *serais* la reine... » mais aussi « Nous *irions* ensemble en Sicile... Quel bonheur ! ») Conditionnel des journalistes quand il s'agit d'une information non vérifiée (« Le président Carter *demanderait* au Congrès la ratification de... ». « L'URSS *aurait mis* au point un nouveau type de supersonique »). Conditionnel de l'hypothèse que l'on repousse avec indignation (« Il me *mentirait* ? C'est absurde. » « *Nous nous serions rencontrés* sans nous reconnaître ? Impossible ! »)

4. Le P.C. a été étudié dans son rapport au présent : l'un domine la couleur de passé comme l'autre celle de présent. Et en considérant seulement la couleur de présent, le premier est en case arrière, l'autre sous le projecteur.

Dans ces deux emplois, le P.C. est en concurrence avec l'IMP — alternance longuement examinée dans les chap. XVIII à XX : « Le vent *soufflait* en tempête : nous *avons renoncé* à notre excursion ». Mais l'IMP remplace quelquefois un P.C. : « Le lendemain, il *repartait* pour Londres (= il est reparti) ». Cet emploi, vu au chap. XX, 4, est à ajouter à la liste des emplois de l'IMP, paragr. 2 ci-dessus.

Enfin, la double valeur du P.C., passé vrai ou passé-présent, a été indiquée au chap. XII et ses conséquences étudiées au chap. XXII pour les liées qui en dépendent.

5. Le Plus-que-parf. est en double relation avec l'IMP (son auxiliaire est d'ailleurs un IMP : nous recherchions / nous *avions* recherché) et avec le P.C. (les auxiliaires sont alors dans la relation présent/IMP : nous *avons* recherché / nous *avions* recherché). De là son emploi en case arrière de la couleur de passé où il répond au couple P.C./IMP de la même case en couleur de présent : Je sais qu'il a obtenu... qu'il obtenait... / Je savais qu'il *avait obtenu...* Face au Conditionnel passé, exprimé ou non, il assure les mêmes emplois que l'IMP face au Conditionnel présent : « Si nous le pensions, nous réagirions / Si nous l'*avions pensé*, nous *aurions réagi* » « Ah, s'il m'*avait écouté* ! » (regret pour le passé, répondant au regret pour le présent qui utilise l'IMP « Ah, s'il m'écoutait ! » — paragr. 2 ci-dessus).

6. Autres exemples en chaîne de temps qui semblent échanger leurs emplois. On serait tenté de dire qu'« il court, il court le furet... ». Le futur, outre son emploi « normal », s'utilise, comme l'IMP et le Conditionnel, pour atténuer demande ou observation : « Je vous *prierai* d'être plus raisonnable ». « Nous vous *ferons* remarquer... » Par un glissement de sens analogue, il sert à débrutaliser un ordre : « *Vous vous présenterez* au bureau à 10 h. » ou : « *Vous voudrez bien* vous présenter... » au lieu de l'Impératif : « Présentez-vous ». Ce rapport entre futur et Impératif, qui visent tous deux l'avenir, a été observé au chap. XXIII, 4 : « Si vous passez par Toulouse, nous vous *accueillerons...* / Si vous passez par Toulouse, *prévenez-nous* quelques jours avant ».

Combinons le futur en emploi d'Impératif avec la valeur e) du présent qui désigne un futur proche, et nous obtenons *un présent à valeur d'Impératif*, très courant dans le français parlé : « *Vous vous présentez* au bureau à 10 h et vous *demandez* l'inspecteur Costes. »

L'Infinitif a le même emploi de substitut de l'Impératif dans les affiches, les recettes, les modes d'emploi : « *Prendre* à gauche au carrefour ». « *Agiter* avant usage ». « *Laisser* mijoter, puis *verser* la sauce bouillante ».

Lequel Infinitif sert encore, cette fois comme le Conditionnel, à marquer l'indignation : « *Nous abaisser* à ce point ? Jamais ! » « Moi, l'*avoir encouragé* ? Tout prouve le contraire ! » L'Infinitif, forme pure du verbe et qui n'exprime rien, marque mieux encore que le Conditionnel que l'idée évoquée n'a rien à voir avec la réalité.

Mais l'Impératif, à son tour, à côté d'un futur, remplace une liée en « si » pour exprimer une hypothèse : « *Essayez*, et vous verrez ! » « *Maintenez* ce désordre dans votre comptabilité, et nous serons obligés de fermer. »

7. Nous avons vu l'emploi du passé antérieur en couleur de passé 2 dans une liée en « dès que » (chap. V). Il a aussi un emploi, très rare, en autonome pour exprimer la rapidité d'une action : « Ils *eurent bientôt fini.* » Beaucoup plus courant est l'emploi du futur antérieur pour exprimer la probabilité : « Il *aura été retenu* à Tours » (= il a sans doute été retenu...).

Cela nous mène aux auxiliaires d'appoint, verbes ou locutions qui interviennent dans la conjugaison pour modifier le sens d'un temps ou d'un mode. Ainsi « venir de » et « aller » exprimaient, au chap. XXII passé très proche ou futur : « elle *vient* d'arriver » / « ils *vont* nous rappeler dans un moment ». On trouve aussi pour nuancer une idée d'avenir « ils *sont sur le point de* nous rappeler » ou « ils *doivent* nous rappeler tout à l'heure ». Mais « devoir » exprime aussi la probabilité : « il *doit* avoir été retenu à Tours », et naturellement, peut garder son sens propre d'obligation : « Je sais qu'il n'y tient pas, mais il *doit* le faire » — comme « aller » peut garder son sens propre de déplacement, de sorte que « Nous *allons* visiter Foix » a deux sens : « Nous visiterons Foix » ou « Nous nous mettons en route pour visiter Foix ».

CHAPITRE XXV

POUR CONCLURE : VOTRE LIBERTÉ DE CHOIX

1. La liberté, quand vous écrivez, de choisir votre « itinéraire » a été évoquée dans l'avant-propos ; elle est, pensons-nous, évidente au terme de ces pages. Vous avez compris que vous pouvez :

— adopter la couleur de passé 1 ou 2 (quoique l'emploi de cette dernière ne soit guère courant aujourd'hui) : « Ils se sont aperçus alors qu'ils se trompaient » ou à la rigueur : « Ils s'aperçurent alors... »
— faire alterner à votre choix couleurs de passé et de présent fictif, et dans ce dernier cas, utiliser dans les liées, à votre choix encore, les temps commandés par une autonome au présent ou par une autonome au passé (chap. XXII)
— jouer du sens ambigu du P.C., passé vrai ou passé-présent, pour utiliser, dans les liées qui en dépendent, les temps de la couleur de présent ou de la couleur de passé (chap. XXII)
— utiliser, quand une autonome au passé « commande » un Subjonctif, le plus souvent le présent et le passé de ce mode, mais quelquefois aussi l'imparfait et le plus-que-parfait : « Nous redoutions qu'il se montre trop passif » ou : « qu'il se montrât » (chap. X)
— recourir, si une liée au Subjonctif vous gêne, à des liées de remplacement à l'Indicatif, au Conditionnel ou à l'Infinitif (chap. XI)
— sans compter les possibilités nombreuses — choix entre 6 temps pour exprimer par exemple l'avenir après un « il nous annonce que » (chap. XXII) — et les jeux de substitutions plus nombreux encore que viennent d'évoquer les chap. XXIII et XXIV.

2. Le chap. VIII a montré comment une complétive en « que » ou en « si », « pourquoi », « dans quelles limites », etc... sert à présenter les paroles ou les pensées de quelqu'un (discours indirect). Naturellement, elles peuvent être aussi citées directement. Et d'alterner l'une et l'autre manière étant, pour un rapport assez long, la solution la meilleure, c'est à vous de choisir ce que vous résumerez en liées et ce que vous mettrez en valeur en le citant directement :

> Ex. Le responsable administratif a alors posé la question décisive : « Comment notre Société peut-elle diversifier ses fabrications, sans ruiner le principe qui a fait sa prospérité : une firme, un produit ? » Il *a ajouté que* nous irions selon lui à un échec, et *s'est demandé si* un sondage d'opinion préalable ne s'imposait pas en tout état de cause.

Mais c'est pour l'ensemble de vos phrases que vous pouvez choisir entre, à un extrême, des séries de liées dépendant de rares autonomes distribuées de loin en loin, et à l'autre, des séries d'autonomes sans presque aucune liée. C'est affaire de goût, de clarté, d'adresse dans le maniement des phrases longues ou courtes ; le résultat sera une différence de « style ».

N'hésitez pas en tout cas à « couper » une série de liées dont le développement vous conduirait à un embarras.

> Ex. Phrase à embarras : La décision du 25 février de réduire provisoirement l'activité de notre usine de Figeac, que nous n'avions prise qu'après qu'on nous eut avertis de l'imminence de la parution du décret modifiant le système des prêts dont pouvait bénéficier l'industrie aéronautique, et à laquelle nos actionnaires objectaient qu'elle risquait de faire en sorte que notre passif s'en trouve augmenté, s'est révélée pourtant heureuse.

Vous écrirez plutôt, en « coupant » :

> Ex. Un décret devait modifier le système des prêts à l'industrie aéronautique, et nous avons appris qu'il paraîtrait sans

tarder. Nous avons donc décidé, le 25 février, de réduire provisoirement l'activité de notre usine de Figeac. Nos actionnaires étaient inquiets : cette mesure pouvait, selon eux, mener à une augmentation de notre passif. Elle s'est pourtant révélée heureuse.

3. Finalement, le verbe, dont les conditions d'emploi nous ont occupés si longtemps, est-il toujours indispensable ?

C'est qu'on trouve en abondance dans nos phrases — en surabondance dans nos phrases parlées, et à l'écrit quand nous ne nous surveillons pas — des verbes qui portent peu de sens, on dirait savamment : « des verbes à teneur sémantique faible ». Tels sont « être », « avoir », « se trouver », « se produire », « faire » etc... et l'expression « il y a ». Le mieux est de réduire leur usage au minimum indispensable. Comparer :

> Ex. Il y avait dans la cour un homme qui était blessé et qui appelait à l'aide (16 mots, dont 3 verbes, dont « il y avait » et « était ») — et :

> Ex. Dans la cour, un blessé appelait à l'aide (8 mots, dont un seul verbe, après disparition de « il y avait » et de « était », *et sans aucun changement de sens*).

De même, pourquoi écrire « Une hausse des prix *s'est produite* au niveau des meubles anciens », quand il est si simple de dire : « Le prix des meubles anciens a augmenté » ? Pourquoi : « *Il y a* beaucoup de gens qui pensent que l'inauguration du nouveau pavillon n'*aura pas lieu* en mai », au lieu de « Beaucoup pensent que le nouveau pavillon ne sera pas inauguré en mai » ?

4. Une heureuse application de ce conseil réduirait aussi vos stocks de relatives. Elles sont utiles, et même peuvent rendre fluide un texte, qu'assécherait une succession trop serrée de propositions autonomes. Soient les phrases :

> Ex. La direction a fait connaître ses nouveaux horaires. Ils étaient inacceptables. Nous avons répondu par la menace d'une grève

L'ensemble deviendra moins tendu par le recours à des relatives :

> Ex. La direction a fait connaître ses nouveaux horaires, qui étaient inacceptables, et auxquels nous avons répondu par la menace d'une grève.

Mais dans la 1re relative, le verbe « être » n'apporte aucune information, et l'adjectif, apposé entre deux virgules, le remplacerait fort bien :

> Ex. La direction a fait connaître ses nouveaux horaires, *inacceptables*, auxquels nous avons répondu par une menace de grève.

Vous éviterez donc, en règle générale, une relative à verbe porteur de peu de sens (liste au paragr. 3 ci-dessus). Vous direz : « C'est un projet très important » ou : « C'est un projet d'importance considérable », au lieu de : « C'est un projet *qui a* une importance considérable. »

De même : « Très touchée par la crise, notre industrie textile a dû procéder à des licenciements », au lieu de : « Notre industrie textile, *qui a été très touchée...*, a dû procéder... »

5. En fait, si un verbe n'apporte aucun sens précis, et que les autres verbes déjà présents dans la phrase suffisent à en indiquer la « couleur », vous le supprimerez autant que possible. Il en irait tout autrement s'il fallait évoquer « notre industrie textile qui, dans un premier temps, *avait été très touchée* par la crise, *mais qui s'est redressée* depuis... » ou « notre industrie textile, *qui sera touchée* la première par la crise inévitable... » ou encore « notre industrie textile, *qui serait la première touchée* en cas de crise... ».

Le verbe, cette fois, apporte un élément irremplaçable que, seul de tous les types de mots, il est capable d'apporter : cette machinerie de conjugaison, subtile et apte à traduire toutes les nuances de la pensée, dont nous avons tenté de saisir les rouages en étudiant « l'emploi des temps ».

TABLE DES MATIÈRES

N.B. Un index nous a semblé inutile : cette table des matières en tient lieu, et les chapitres renvoient continuellement les uns aux autres. C'est vrai en particulier des chap. XXIV et XXV où sont mentionnés tous les emplois indiqués dans les précédents. Pour vérifier l'orthographe d'une forme, se reporter au chap. correspondant de la IIe Partie.